Carlos Heitor Cony
Anna Lee

O Beijo da Morte

OBJETIVA

O Beijo

Carlos Heitor Cony
Anna Lee

da Morte

OBJETIVA

Todos os direitos desta edição reservados
à Editora Objetiva Ltda.,
rua Cosme Velho, 103
Rio de Janeiro - RJ - CEP 22241-090
Tel.: (21) 2556 7824
Fax: (21) 2556 3322
www.objetiva.com.br

Design de capa e miolo
SILVANA MATTIEVICH

Finalização
MARCIA RAED

Revisão
ANTÔNIO DOS PRAZERES
DAMIÃO NASCIMENTO
TAÍS MONTEIRO
RITA GODOY

2003

C768b
Cony, Carlos Heitor e Lee, Anna
O beijo da morte / Carlos Heitor Cony e Anna Lee . – Rio de Janeiro : Objetiva, 2003

283 p. ISBN 85-7302-572-7

1. Literatura brasileira - Romance. 2. Goulart, João (1918-1976) - Morte - Ficção. 3. Kubitschek, Juscelino (1902-1976) - Morte - Ficção. 4. Lacerda, Carlos (1914-977) - Morte - Ficção. I. Lee, Anna. II. Título.

CDD B869.3

"Em 1976, alguns
órgãos, contrários
à abertura promovida
pelo presidente Geisel,
buscavam soluções
extralegais."

ARMANDO FALCÃO, ministro da Justiça
do governo Ernesto Geisel (1973-1979),
em entrevista a *O Globo*.

Soube aqui, qu

encontraram da not

o Brasil as coisas se
possível
ao inpregresso.

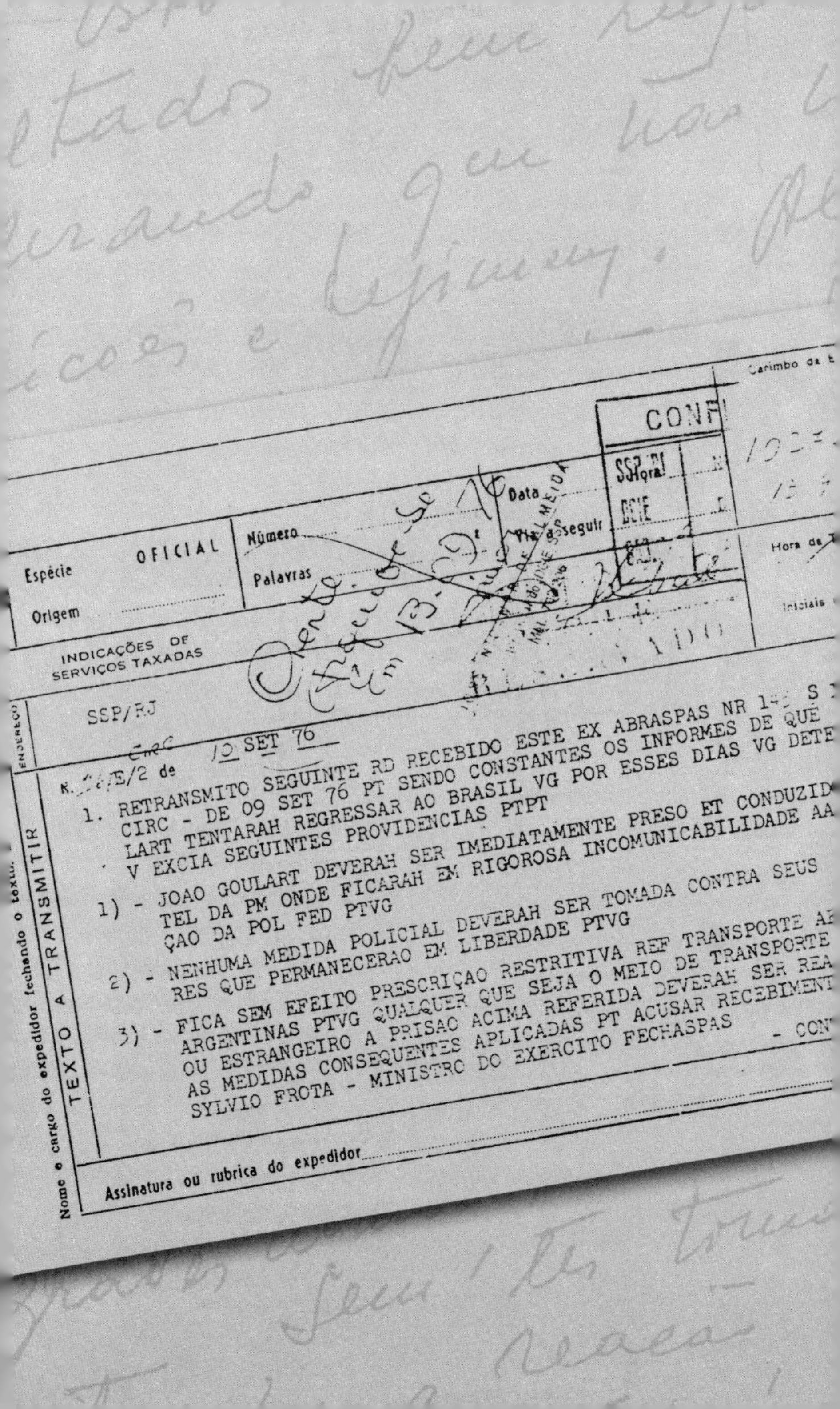

CONF

Carimbo da

Espécie OFICIAL

Origem

Número

Palavras

Data

Via a seguir

Hora da

Iniciais

INDICAÇÕES DE SERVIÇOS TAXADAS

ENDEREÇO

SSP/RJ

TEXTO A TRANSMITIR

Nr /E/2 de 10 SET 76

1. RETRANSMITO SEGUINTE RD RECEBIDO ESTE EX ABRASPAS NR 14 S
CIRC - DE 09 SET 76 PT SENDO CONSTANTES OS INFORMES DE QUE
LART TENTARAH REGRESSAR AO BRASIL VG POR ESSES DIAS VG DETE
V EXCIA SEGUINTES PROVIDENCIAS PTPT

1) - JOAO GOULART DEVERAH SER IMEDIATAMENTE PRESO ET CONDUZID
TEL DA PM ONDE FICARAH EM RIGOROSA INCOMUNICABILIDADE AA
ÇAO DA POL FED PTVG

2) - NENHUMA MEDIDA POLICIAL DEVERAH SER TOMADA CONTRA SEUS
RES QUE PERMANECERAO EM LIBERDADE PTVG

3) - FICA SEM EFEITO PRESCRIÇAO RESTRITIVA REF TRANSPORTE AE
ARGENTINAS PTVG QUALQUER QUE SEJA O MEIO DE TRANSPORTE
OU ESTRANGEIRO A PRISAO ACIMA REFERIDA DEVERAH SER REA
AS MEDIDAS CONSEQUENTES APLICADAS PT ACUSAR RECEBIMENT
SYLVIO FROTA - MINISTRO DO EXERCITO FECHASPAS - CON

Nome e cargo do expedidor fechando o texto

Assinatura ou rubrica do expedidor

REPUBLICA DE CHILE
PRESIDENCIA DE LA REPUBLICA
D.I.NA.

CONFIDENCIAL

SANTIAGO, 28 de Agosto de 19

Distinguido señor General:

He recibido su envío del 21 de Agosto de 1975 y al agradecerle su opertuna y precisa información me es grato expresarle mi satisfacción por su colaboración que debemos estrechar aún más.

En respuesta cumplo en comunicarle lo siguiente:

1) Comparto su preocupación por el posible triunfo del Partido Demócrata en las próximas elecciones presidenciales en los Estados Unidos. También tenemos conocimiento del reiterado apoyo de los demócratas a Kubichek y Letelier, lo que en el futuro podría influenciar seriamente en la estabilidad del Cono Sur de nuestro hemisferio.

El plan propuesto por Ud. para coordinar nuestra acción contra ciertas autoridades eclesiásticas y conocidos políticos socialdemócratas y democratacristianos de América Latina y Europa, cuenta con nuestro decidido apoyo.

información sobre Guyana y Jamaica es de una indudable importancia para esta Dirección.

Por creerlo de interés para Ud. ico que últimamente el Gobierno de Chile tomó la de liberar un grupo de presos que serán expulsases europeos. Le transmitiremos, a medida que llegando, la información relativa a la actividad e estos liberados y sus eventuales contactos gración brasileña.

Lo saluda muy atentamente.

MANUEL CONTRERAS SEPULVEDA
CORONEL
DIRECTOR DE INTELIGENCIA NACIONAL

GENERAL PRINCIPAL DE DIVISIÓN
J. BATISTA DE OLIVEIRA FIGUEIREDO

28 de setembro de 1975

Ofício confidencial do general Manuel Contreras, chefe do DINA (serviço secreto do governo chileno) ao general João Baptista Figueiredo, então chefe do SNI (serviço secreto do governo brasileiro), dando conta da mudança da política norte-americana em relação às ditaduras militares do Brasil, Chile, Argentina e Uruguai. Com a chegada de Jimmy Carter à Casa Branca, seria retirado o apoio de Washington aos regimes totalitários do Cone Sul. O general Contreras cita nominalmente Orlando Letelier, ex-ministro de Salvador Allende, e Juscelino Kubistchek, ex-presidente do Brasil, como lideranças que poderiam ser reabilitadas e criar problemas às ditaduras da região.

7 de agosto de 1976

Por volta das 18 horas deste sábado, corre a notícia de que Juscelino Kubitschek teria morrido num acidente de carro na estrada que liga Luziânia a Brasília. JK iria fazer realmente este deslocamento, mas, à última hora, preferiu ficar em sua fazendinha, em Luziânia. À noite, recebe jornalistas e equipes de TV que procuram confirmar a notícia.

22 de agosto de 1976

Às 18h15, morre Juscelino Kubitschek num acidente de carro no km 143 da Rio–São Paulo. Nos dias anteriores, JK escondera de seus parentes e amigos mais próximos esta viagem ao Rio, quando almoçaria, no dia seguinte, com o advogado e ex-ministro português Adriano Moreira, que cuidava de um processo movido pelo governo oriundo da Revolução dos Cravos, em Portugal, no qual estavam citados a empresária portuguesa Fernanda Pires de Melo, o ex-embaixador Hugo Guthier e o próprio JK. Chegando ao Rio no final da tarde daquele domingo, ele dormiria com Lúcia Pedroso no apartamento dela, em Ipanema, sendo absurdo o insinuado encontro de alguns minutos dos dois num hotel da Rio–São Paulo.

21 de setembro de 1976

Morre, em Washington, Orlando Letelier, quando uma bomba explodiu em seu carro. O atentado foi investigado pela polícia norte-americana, que culpou agentes do DINA e, em especial, o general Contreras, que atualmente cumpre pena de prisão perpétua no Chile.

6 de dezembro de 1976

Depois de receber numerosos avisos para que não dormisse duas noites no mesmo lugar, o ex-presidente João Goulart morre na Argentina, na cidade de Mercedes, próxima à fronteira com o Rio Grande do Sul. Ele continuava exilado pelo regime militar brasileiro, mas disposto a retornar brevemente a São Borja, sua cidade natal.

21 de maio de 1977

Após internar-se na Clínica São Vicente, sem diagnóstico preciso, mas com suspeita de septicemia, morre Carlos Lacerda, ex-governador da Guanabara, que juntamente com Kubitschek e Jango havia criado a Frente Ampla, que seria a alternativa civil para o retorno do Brasil à democracia. Uma enfermeira portuguesa, que trabalhara para a Pide (polícia salazarista), comenta que já vira casos assim, de morte precipitada por medicamentos no soro hospitalar.

20 de agosto de 1982

O juiz Juan Espinoza, do tribunal argentino de Curuzu Cuatiá, pede a exumação do corpo de João Goulart, devido a suspeitas de que ele teria sido assassinado ao tomar remédios que foram trocados por pessoas próximas a ele. Mais tarde, outro pedido de exumação também não foi atendido.

em lugar do prefácio

Ele não tinha nenhum futuro, mas tinha um passado. O enterro dele era uma prova. Cismara em perseguir uma espécie de Santo Graal, numa obsessão que o destruiria, na qual chegou a desacreditar mas permaneceu fiel a ela, "se o mundo está contra mim, eu estou contra o mundo" — frase que ele deixara numa das últimas anotações do diário que escrevia até pouco antes de morrer.

Verônica tirou a chave da bolsa e hesitou um instante. Pela primeira vez entraria naquele pequeno apartamento sabendo que ele não estava ali. Deixara-o no Jardim da Saudade, hora e meia antes, num bairro muito longe da Glória. Quando perguntavam onde morava, ele dizia com um orgulho triste:

– Na Glória.

Com a decadência profissional, os amigos se afastaram, a mulher e as filhas o abandonaram. Quanto mais distante estivesse, melhor para todos. Foi nessa fase que ele se aproximou de Verônica. Os encontros casuais transformaram-se se não num relacionamento sólido – nada era sólido na vida dele – pelo menos numa cumplicidade. Ele confiava em Verônica. Ela admirava a obstinação dele. Nem por isso ele deixou de ser solitário. Ele era solitário. Era e fazia questão de ser solitário.

Há duas semanas não o via, estranhou sua magreza, sua pele escurecida pela doença, quase colada aos ossos, os olhos sim, brilhantes ainda, talvez pela febre, talvez pela angústia de vê-la mais uma vez que – ambos sabiam – seria a última.

Ele não conseguiu olhá-la com ternura. Fez um gesto em direção à mesinha-de-cabeceira. Verônica entendeu. Abriu a pequenina gaveta e nela encontrou a carteira que comprara para ele, quando se conheceram.

Adivinhou que haveria ali alguma coisa importante para os dois. Não era dinheiro, a carteira não tinha nota alguma. Além do pequenino caderno de endereços, havia uma chave no fundo de uma das divisões de couro. Ela também conhecia aquela chave. Pegou-a, mostrou-a, ele fez um gesto com a cabeça, aprovando.

Ele apertou a mão de Verônica com a força possível, olhou-a mais uma vez. Ela entendeu. Não fixou aquele rosto deformado pela doença, era uma forma de respeitá-lo, de dizer que o amava e o amaria sempre.

*

O jornal em que ele trabalhara tantos anos deu o registro de sua morte dias depois, numa pequena nota, no caderno dedicado à cidade.

*

Naquele apartamento ele guardava suas pastas com recortes, alguns livros, dois armários de aço com gavetas cheias de fichas, tudo desorganizado e tudo inútil, como ele próprio se sentia. Havia uma cama que era mais um sofá, onde descansava e se amavam, até que a doença foi progredindo, a operação não deu resultado, recusou-se à quimioterapia, preferiu morrer de mansinho, sem fazer barulho para si e para os outros, sair da vida na ponta dos pés.

O sofá tinha manchas e um cheiro, um cheiro dele, mais dele do que dela. Teve vontade de deitar-se ali, tirou os sapatos, ajeitou uma das almofadas pretas que ele usava para descansar ou ler.

Anos antes, ele estourara na imprensa. Em 1967, ganhara projeção nacional descobrindo que, em Montevidéu, um ex-presidente da República deposto pelo movimento militar de 1964 teria um encontro com o político civil que, como governador da Guanabara e proprietário do jornal mais exaltado da época, provocara os generais, os empresários, as companhias multinacionais e até mesmo o Departamento de Estado norte-americano, incitando todas as forças da direita ao golpe militar que faria o país mergulhar numa ditadura que duraria 21 anos.

*

Fora ele o primeiro a duvidar daquela obsessão. Quando começara as pesquisas, ainda na fase em que o respeitavam como profissional, ouvira de colegas a advertência: você está perdendo tempo, ninguém se interessará pela sua história, a hipótese do assassinato quase simultâneo de dois ex-presidentes da República e de um ex-governador. Você está contra os fatos, a teoria dos atentados não se sustenta, foram feitas investigações, e além dos fatos objetivos de cada caso, há a constatação óbvia de que os três não mais representavam perigo algum ao sistema militar que estava solidamente estabilizado, gerindo a vida política, econômica e policial do país.

Ele chegou a aceitar como inexorável a argumentação de que os fatos não podiam ser negados, o nexo que procurava entre as mortes – a de Juscelino Kubitschek, João Goulart e Carlos Lacerda – era uma alucinação pessoal, dele próprio, que participara como jornalista de um encontro em Montevidéu entre Lacerda e João Goulart. E também de alguns poucos desvairados, desses que já viram ou viajaram em discos voadores – como eles, estaria viajando, não em disco voador, mas para usar uma gíria da época, na maionese de um delírio que, além de ser perda de tempo, era também perda da dignidade profissional.

O argumento que mais o chateou veio do amigo mais próximo da redação. Não haveria sentido na eliminação física, promovida pelo sistema militar e pelo contexto internacional da Guerra Fria, de personalidades esvaziadas de qualquer poder, que nada mais representavam e não dispunham de recursos, nem mesmo de vontade para iniciar ou incentivar um movimento orgânico que motivasse uma reação contra a ditadura.

Não contestara a argumentação do amigo. Havia sentido naquele raciocínio: nem JK, nem Jango nem Lacerda, juntos ou separados, teriam condições de promover o confronto com os militares, que contavam com o apoio ostensivo do chamado "complexo industrial-militar" que defendia o mundo livre do comunismo, e que era operado em nível internacional por organismos especializados como a CIA.

Podia ter citado exemplos de eliminações físicas promovidas por sistemas que detinham o poder e temiam o fantasma de uma legalidade perdida, superada pelos acontecimentos.

O caso do duque d'Enghien, em cujas veias corria sangue da dinastia real deposta pelos burgueses transformados em cidadãos pela Revolução Francesa. Assumindo o poder imperial, com o prestígio de suas vitórias no campo das batalhas, com os avanços sociais que davam forma aos ideais da revolução que custara tanto sangue à França, Napoleão mandou raptar e até mesmo, segundo alguns, incentivou o assassinato do descendente real que, para os conservadores, trazia na testa o sinal da realeza, herdada de Deus (*omnia potestas a Deo*) – realeza supersticiosamente venerada e temida pelo povo.

Talleyrand diria para o próprio imperador: o assassinato do duque não fora um crime, mas uma tolice. O descendente dos Bourbons e Orleans não representava perigo algum ao Império, muito menos uma ameaça da restauração da monarquia. Mas enquanto existisse alguém com sangue real nas veias, haveria um espectro da legalidade extinta a perturbar a tranqüilidade dos novos donos do poder.

O próprio Luís XVI, deposto, transformado em cidadão Luís Capeto, já resignado com a perda do trono, entregue à sua mania de marceneiro amador, satisfeito porque escapara com vida da sanha de 1789, foi sacrificado quando não representava qualquer ameaça à Revolução, arrastando Maria Antonieta, sua mulher, para a guilhotina.

Mais de um século depois, num contexto parecido mas com os pólos ideológicos trocados, o regime bolchevista implantado na Rússia em 1917 eliminaria Nicolau II e toda sua família. O tsar deposto estava confinado, nada podia fazer por si, mas o novo regime sabia que, enquanto existisse um Romanov, haveria a hipótese de uma restauração possível.

Ele poderia invocar esses exemplos – o da limpeza de terreno para que uma nova ordem fosse estabelecida – mas seria pretensioso, pior, se sentiria ridículo, se esboçasse qualquer tipo de aproximação entre o Duque d'Enghien, Luís XVI e Nicolau II com o sangue plebeu que corria nas veias de JK, Jango e Lacerda.

Não contestou a argumentação do amigo. Sabia o risco que correria. Seria considerado um visionário grotesco, vitimado pela loucura. E pior do que a loucura, pelo ridículo.

Capítulo 1

Do diário do repórter – Sábado, 21 de maio de 1977 – (mais ou menos às 13 horas) – "Peço a Deus que me mande a morte de surpresa – mas sempre me prepare para recebê-la".

Foram as palavras de Carlos Lacerda que ouvi novamente quando entrei na capela nº 1 do cemitério São João Batista, na rua Real Grandeza, onde estava sendo velado o ex-governador da Guanabara.

Era meu dia de folga, mas logo cedo fora acordado pela chefia de reportagem. Carlos Lacerda morrera, inesperadamente, durante a madrugada, na Clínica São Vicente, localizada na parte alta da Gávea. Fora internado com uma febre e indisposição que o abateram havia cerca de uma semana. Os médicos decidiram, contra a vontade dele, fazer exames num ambiente hospitalar. Chegaram à conclusão, tarde demais, de que ele fora vítima de um quadro de septicemia. Não conseguiram diagnosticar a "porta de entrada". Um médico me explicou que septicemia é a intoxicação do sangue pela introdução de matérias que contêm germes patológicos produzidos por bactérias e, portanto, tem sempre uma causa exógena. Ou seja, provém de uma causa externa.

Não precisaria cobrir o factual. Desde a madrugada, já haviam deslocado repórteres para a clínica e, depois, para o cemitério. Esperavam de mim, na qualidade de "especialista" no assunto Lacerda, um texto sobre o "clima" do velório e do enterro.

A imprensa tem destas coisas. Basta um repórter fazer com freqüência matérias sobre determinado tema para virar "dono" do caso ou da pessoa. Eu era dono do Lacerda. Sempre que precisavam falar com ele, eu era o caminho.

É verdade que houve uma época em que estive próximo a ele. Comecei minha carreira na *Tribuna da Imprensa*, jornal que ele fundou para combater principalmente o ex-ditador Getúlio Vargas, que, deposto pelos militares em 1945, voltara ao poder como presidente constitucional, em 1951. Lacerda me escolheu, fui seu discípulo e amigo. E mesmo após minha ida para o *Correio da Manhã* – profissionalmente era importante para mim circular por outros veículos –, continuamos a manter contato.

Em 1967, indo ao Uruguai para encontrar-se com Jango para o lançamento da Frente Ampla, o primeiro e mais consistente movimento civil contra o regime militar, foi a mim que escolheu para acompanhá-lo. Nessa época, eu freqüentava a casa dele.

Lembro-me que no Natal de 69, o Sebastião, filho dele, me disse: "Vai lá para casa hoje porque, ano passado, papai teve uma crise. Tinha comprado presentes para uma porção de gente, até alguns extras, e não apareceu ninguém a não ser os filhos, os netos e as noras."

Fui. Até então, eu nunca tinha ligado para estes ritos de passagem. Achava que nem ele. Mas estava enganado. Lacerda dava uma importância danada. Talvez fosse fácil perceber naquele momento porque estava ficando cada vez mais sozinho, tinha perdido o poder ao ser cassado, em 68.

Foi tudo nisso que pensei quando entrei na capela da rua Real Grandeza. "Hoje é dia 21 de maio! Aniversário da Cristina! Ele morreu no dia do aniversário da filha!"

Aproximei-me do caixão. Fazia tempo que eu não o via. Nem me lembro quanto. Provavelmente, foi no aniversário dele, em 1971, que falamos pela última vez.

Pouco antes de morrer, ele tentou uma aproximação. Não só de mim. De Jorge Amado, Hugo Levy, Luiz Viana Filho e outros amigos dos quais havia se afastado. Deus tinha atendido ao pedido dele tal qual queria: "Peço a Deus que me mande a morte de surpresa – mas sempre me prepare para recebê-la."

A morte chegou de surpresa, mas ele havia se preparado para recebê-la. De uma maneira ou de outra, despediu-se de cada um. Comigo foi assim:

Estava em casa quando tocou a campainha. Era um contínuo com um envelope da Nova Fronteira.[1] Lacerda havia me mandado o livro *A casa do meu avô*,[2] com a dedicatória: "Tenho saudades daqueles tempos atribulados, porém felizes, em que éramos amigos."

Queria que eu fosse à Nova Fronteira para conversarmos. Já sabia do que se tratava. Eu tinha trabalhado durante um período lá. Decidi não ir. Sabia que, se fosse, não resistiria. Estava bem no jornal. Tinha conquistado meu espaço. Escrevi, então, uma carta, levei-a à Editora e deixei-a com uma recepcionista. Pouco depois ele morreu.

Lembrava tudo isso quando ouvi gritos de "Viva Lacerda", "Viva a liberdade", "Viva a democracia". Voltei à realidade.

O enterro teve de ser antecipado em meia hora – estava marcado para as 17 horas – devido ao tumulto formado na capela nº 1. Todos queriam ver Lacerda e a pequena capela do cemitério não comportou. Por volta das 16h15, o padre Leme Lopes ia fazer a encomendação do corpo; sua entrada na capela foi difícil, mas conseguiu chegar até a família e iniciar as orações. Alguns minutos depois, populares começaram a forçar a passagem. As pessoas estavam sendo espremidas e o padre quase não pôde folhear o livro de orações. Vendo sua mãe e outros parentes empurrados, Sérgio, o filho mais velho, não deixou que o padre terminasse a encomendação do corpo: mandou fechar o caixão e iniciar o enterro. Fez-se o sepultamento no carneiro perpétuo 4.318, quadra 34.

Difícil calcular quantas pessoas foram ao cemitério. Mil, duas mil... Nunca fui bom nisso. Apenas fiquei surpreso quando um colega, que trabalhava na *Manchete*, me ligou para checar os pormenores do enterro e comentou:

– O Adolpho Bloch contou, aqui na redação, que estava admirado. Tinha menos gente do que no enterro do Darwin Brandão, que morreu semana passada. É verdade?

Achei estranha a observação do dono da *Manchete*. Realmente Darwin Brandão era um colunista prestigiado, principalmente nas rodas de Ipanema, mas era um absurdo compará-lo em peso político, intelectual e social com Lacerda, um dos personagens mais importantes do cenário nacional em seu tempo, protagonista de lances decisivos que mudaram a história do Brasil.

O velório tinha um fluxo pequeno de visitantes. Mas a partir das 15 horas, aumentou o número de pessoas, tornando intransitável o saguão superior e inferior onde se situam as capelas. A multidão prejudicava até mesmo o velório das capelas vizinhas.

O ataúde andou de mão em mão, os populares que o carregavam andaram apenas uns 50 metros e pararam: a sepultura era longe e providenciou-se uma carreta.

Políticos e autoridades pulavam sepulturas para ficar mais próximos do caixão. Seguidoras de Lacerda – as famosas "mal-amadas" que o cronista Antônio Maria tanto gozava – gritavam histericamente: "Lacerda! Lacerda!". Pediam "democracia e liberdade". Todos cantaram o Hino Nacional.

Um anônimo, muito idoso, de imensas barbas brancas, subiu à sepultura e iniciou um discurso: "Lacerda sempre que atuava fazia cair um governo corrupto."

As pessoas começaram a se retirar. Eu também. Deveria voltar para a redação, fechar a matéria que me encomendaram. Mas não tinha pressa. Não conseguia ter pressa. Sentia-me angustiado. Lentamente caminhei por entre as sepulturas até chegar ao portão principal do cemitério São João Batista. Precisava ficar sozinho e pensar. Pensar em quê?

Em apenas nove meses era o terceiro enterro que cobria para o jornal. Um calafrio percorreu meu corpo. De repente, me dei conta de que os três líderes políticos que haviam tentado a Frente Ampla, em 1967, cassados pela ditadura militar, tinham morrido num pequeno espaço de tempo e em circunstâncias que pareciam comuns: Juscelino Kubitschek, em 22 de agosto de 1976; João Goulart, em 6 de dezembro de 1976 e, agora, Carlos Lacerda, em 21 de maio de 1977.

Na véspera de suas mortes, nenhum deles estava doente com gravidade, pelo menos nada que indicasse um estado crítico ou terminal. Juscelino morrera num acidente, 15 dias depois de ter circulado a notícia de que teria morrido num desastre de carro na estrada de Luziânia para Brasília – por coincidência, à mesma hora em que, duas semanas depois, ele morreria num desastre, na via Dutra, que liga Rio de Janeiro a São Paulo.

João Goulart era cardíaco, mas estava sob controle, convivia com a doença, e, pouco antes de morrer, estivera na Europa, em Londres e Lyon, onde fizera rigoroso *check-up* com o especialista que acompanhava seu quadro clínico.

Um quadro estável, considerado bom, animador mesmo, orientando-se o clínico para a simples manutenção apoiada em alguns medicamentos de rotina e numa dieta para perder peso. Não corria risco de vida.

Lacerda era diabético, mas não foi a doença que o levou ao hospital. Na noite do domingo anterior à sua morte, apresentou sinais de gripe. Na segunda-feira, apesar da febre, ele se forçou a ir ao escritório da Nova Fronteira, encontrar-se com Emil Farhat, que viera de São Paulo para almoçar com ele.

Voltou cedo para casa. A partir daí, a febre e as dores articulares se intensificaram até que um dos médicos, Pedro Henrique Paiva, chamado por Pedro Paulo Senna Madureira, que era então o diretor editorial da Nova Fronteira, decidiu-se pela internação.

Eu ia saindo do cemitério, em busca do meu carro, que ficara longe do portão principal. Ao atravessar a rua General Polidoro, um ônibus passou raspando por mim, vi o motorista botar a cara para fora do veículo e xingar minha mãe. Na verdade, eu atravessava a rua distraído, por pouco não seria atropelado.

O quase-acidente me tirou do delírio. Olhei o relógio: estava atrasado, tinha de correr para a redação, poderia perder o fechamento do caderno com a cobertura completa do enterro. Dei carona a um colega, que havia anotado a presença de algumas personalidades e as entrevistara pedindo declarações sobre Lacerda.

A conversa e mais tarde o texto que escrevi fizeram-me voltar à realidade. Um político importante, que empolgara toda uma era, teria morrido de causas banais, não bem identificadas, aos 63 anos. Nada mais do que isso.

Mas à noite, quando minha mulher avisou que ia deitar, estranhou meu comportamento. Geralmente, deitávamos juntos, mas naquela noite eu quis ficar sozinho na sala, pensando.

Foi – estou certo disso – o começo de tudo. Nunca mais consegui me livrar do calafrio que percorreu meu corpo no momento em que atentei para a coincidência daquelas mortes em tão curto espaço de tempo. Eu trabalhara com Lacerda, tinha sido seu amigo. Conhecia Jango. Lembrei o encontro dos dois, em Montevidéu, em 1967. Lacerda já estivera com JK em Lisboa para o mesmo fim: unir antigos adversários para mobilizar a sociedade civil contra a ditadura militar. JK não pôde ir a

Montevidéu, mas mandou seu representante, o ex-deputado Renato Archer, que seria o secretário-executivo da Frente.

O destino me colocara lá. O homem certo na hora errada ou o homem errado na hora certa? Na mocidade, eu lia romances sobre as *cosche* da Máfia italiana que se uniam e se separavam, depois de uma cerimônia estranha: o desafiante beijava o desafiado no rosto. Era uma senha: o beijo da morte.

Em Montevidéu, no encontro que selaria um movimento liberal contra um regime autoritário, eu assistira a um beijo da morte que anunciaria o desaparecimento dos três líderes civis mais importantes do meu tempo.

Só não sabia que, num exagero do destino, eu também poderia ser atingido por aquele beijo da morte.

Capítulo 2

Do diário do repórter – Domingo, 24 de setembro de 1967 – (mais ou menos às 17 horas) – Local, o apartamento de João Goulart, no 3º andar da Calle Leyenda Patria, 2.984, em Vila Biarritz, bairro residencial da capital uruguaia.

– É um prazer recebê-lo nesta casa, governador – disse Jango.

– Como vai, presidente? – cumprimentou Lacerda.

Eu estava presenciando o impossível. O ex-presidente João Goulart, exilado no Uruguai desde a Revolução de 64, e o ex-governador Carlos Lacerda, ainda não cassado em seus direitos civis, mas considerado inimigo do regime que ajudara a instalar, trocavam, ali na minha frente, amabilidades. Dois antigos adversários punham de lado as querelas pessoais, as divergências ideológicas e políticas mais radicais.

Antes, eles só haviam se encontrado duas vezes. A primeira, na casa de um amigo comum, às vésperas de Jango assumir o Ministério do Trabalho no segundo governo de Vargas. A outra, no dia da posse de Jânio Quadros, quando, nas apresentações oficiais, o governador da Guanabara e o ainda vice-presidente não se cumprimentaram.

Lacerda sentou-se numa poltrona, Jango no sofá. Lacerda fumava cachimbo, Jango, cigarros uruguaios. Num móvel, ao lado, as fotografias de dona Maria Thereza, Denise e João Vicente, a família de Jango. Ao lado, num porta-retratos especial, uma foto de John F. Kennedy, com uma dedicatória do presidente norte-americano, datada de 1962.

Ali na sala, além deles e de mim, também estavam o deputado Renato Archer, mais três assessores de Jango, também exilados no Uruguai: Cláudio Braga, Ivo Magalhães e Amaury Silva, além do ex-deputado e líder sindical José Gomes Talarico.

Nenhum constrangimento, nenhum mal-estar, ninguém falou no passado, nem lembrou tudo aquilo que os dividiu.

No dia seguinte, os dois antigos adversários diriam à imprensa: "Escolhemos o caminho da união para a paz, que exige a liberdade do povo de se manifestar e decidir. Fomos, um do outro, adversários e até inimigos. No entanto, temos deveres para com a pátria e o povo, maiores que os nossos possíveis ressentimentos e preconceitos."

JK, naquele dia, estava nos Estados Unidos. Viajara com a filha Márcia, que ia fazer um tratamento de coluna numa clínica norte-americana.

Para mim, repórter que ainda não entrara nos 30 anos, a viagem começou muito antes daquela manhã de domingo, quando o vôo 845 decolou do aeroporto do Galeão em direção a Montevidéu.

Foi no dia 5 de setembro, mais ou menos às 23 horas. Lacerda acabara de chegar, com a filha Maria Cristina, de uma sessão no cinema São Luiz. Acendera seu cachimbo, hábito novo para acabar com o excesso de cigarros, enquanto esperava Renato Archer. Estranhei que Lacerda tivesse convocado o deputado àquela hora em seu apartamento no Flamengo. Tive a impressão de que alguma coisa nascia em sua cabeça, talvez motivada pelo filme a que acabara de assistir. Não comentei nada.

Archer chegou e os dois foram conversar a sós. Terminaram depois da meia-noite. Lacerda entrou na sala, onde eu estava com Maria Cristina, e disse:

– Tenho um furo para você, só que não pode ser publicado.

– Se é um furo e não pode ser publicado, então não é um furo, é uma informação confidencial.

– Que acha de uma viagem a Montevidéu? É uma boa oportunidade para você fazer uma reportagem séria. Topa?

Topei.

Lacerda me explicou então que Wilson Fadul, ex-ministro da Saúde de Jango, o jornalista Edmundo Moniz, ex-redator-chefe do *Correio da Manhã*, o ex-deputado José Gomes Talarico, que foi assessor sindical do governo Jango, e Renato Archer vinham fazendo viagens a Montevidéu para articular o encontro entre ele e Jango. Julgava imprescindível que Goulart se aliasse a ele e a Juscelino Kubitschek na Frente Ampla. Os três juntos representariam praticamente 100% do eleitorado brasileiro, teriam uma forte base civil para lutar contra a ditadura militar e restituir a democracia no Brasil. Lacerda ainda me disse que era necessária a presença de uma testemunha, preferencialmente um jornalista de confiança dos dois lados, que contasse exatamente o que acontecesse.

Lacerda parou de falar. Pensei que o assunto estivesse resolvido. Então ele disse:

– Vem cá, que história é essa de que você é amigo do Jango? Eu não sabia de suas más companhias.

A verdade é que eu não era bem amigo do Jango, ganhara apenas a confiança dele. Em 1962, trabalhava na *Tribuna da Imprensa*, jornal fundado e mantido por Carlos Lacerda, e que tinha sido comprado recentemente pelo grupo do *Jornal do Brasil*.

Jango iria fazer uma visita oficial aos Estados Unidos e eu desejava cobrir a viagem. Tentei cavar a matéria com Raul Ryff, secretário de imprensa de Jango. Ele não me conhecia, resistiu um pouco, não queria levar um garoto – eu tinha apenas 22 anos – na comitiva. Mas acabou concordando.

Estávamos em Nova York, tínhamos voltado de Washington, Raul Ryff me ligou no hotel e disse que Jango estava satisfeito com meu trabalho. Em sua opinião, a *Tribuna da Imprensa*, apesar de liderar com ferocidade a oposição ao governo, era a única que estava sendo fiel aos lances daquela viagem. Jango pediu para me conhecer e me convidava para tomar o café da manhã.

Fui encontrá-lo no dia seguinte. Depois da refeição, Jango disse que queria comprar presentes para os filhos e me convidou para ir com ele. Como não podia ir no carro dele, tomei um táxi e o segui até a loja. Lá, por sugestão minha, acabou comprando para a filha uma boneca, que era a novidade da época: ficava queimada quando exposta ao sol.

Partimos depois para o México. Eu e um repórter da *France Press* fomos os únicos a dar a notícia de que Jango passara mal. Ocupávamos um lugar na platéia de um teatro, assistindo ao balé folclórico mexicano, alguém nos disse que o presidente havia tido um problema de pressão, corremos para o hotel. Estava no lugar certo na hora certa.

E apesar de minha pouca idade, ou talvez por causa dela, comecei a duvidar se ali em Montevidéu – como já disse – eu era o homem certo na hora errada. Ou o contrário.

Tecnicamente, assistia a um encontro histórico com absoluta exclusividade. Contava pontos para minha carreira profissional. Mas sentia algum desconforto, não havia dúvida de que eu desfrutava um privilégio. Mas justamente a cordialidade daquele encontro, cordialidade que não me pareceu forçada nem falsa, me dava a sensação de que aqueles dois homens, que haviam empolgado o povo brasileiro com suas causas antagônicas, estavam desafiando o destino, o deus da chuva e da morte.

O domingo era nublado, nem frio nem quente. A cidade, com pouco movimento. Não havia jornais, devido a uma greve que já durava 30 dias. Montevidéu vivia, naquele 24 de setembro, uma emoção única: o jogo entre o Peñarol e o Nacional, um dos grandes clássicos do futebol sul-americano, que se realizaria naquela tarde, no Estádio Centenário.

Nosso avião chegou a Montevidéu às 14 horas, depois de breve escala em Buenos Aires. Parte da viagem, Lacerda passou lendo a edição americana de *Life*. Renato Archer, a *Business Week*. De vez em quando comentava uma das reportagens, a respeito das pesquisas que cientistas norte-americanos estavam fazendo na Amazônia. Eu tentava me concentrar na leitura da matéria de capa do *Time*, sobre os novos caminhos da música popular, depois do aparecimento dos Beatles. Estava eufórico demais com o encontro que presenciaria dali a algumas horas, para me preocupar com os rumos da música a partir dos anos 60.

Cláudio Braga – ex-deputado estadual, o mais votado de Pernambuco, que havia perdido o mandato, cassado pela própria Assembléia Legislativa, e estava no exílio com Jango – aguardava-nos no aeroporto.

– Boa-tarde, governador. Esperávamos o senhor e o deputado no decorrer da semana. Recebemos o telegrama há pouco. O presidente João Goulart está a caminho, chegará dentro de meia hora, o mais tardar.

Durante nossa viagem, um telegrama comunicara a Jango que Lacerda e Archer estavam a caminho de Montevidéu. Houvera um mal-entendido na agenda dele, Jango pensava que o encontro seria a partir de segunda ou terça-feira. Por isso permanecera em Punta del Este – essa foi a explicação de Cláudio Braga para a ausência do ex-presidente no aeroporto.

Lacerda revelou que a confusão fora proposital, fizera crer nos telefonemas anteriores que não viajaria naquele domingo para evitar a mobilização dos órgãos de informação do governo, pois, há muito, todos os seus passos eram vigiados.

Eu viria a saber, mais tarde, que tal como Lacerda blefara, Cláudio Braga, que representava Jango ali no aeroporto, também blefava. Realmente, o ex-presidente esperava Lacerda a partir do dia seguinte, mas o ex-presidente não estava em Punta del Este, ficara em Montevidéu mesmo, em seu apartamento na Calle Leyenda Patria.

Na última hora, ao saber que Lacerda vinha mesmo, Jango hesitava se devia receber o inimigo que fora o principal artífice de sua deposição, o homem que fora o pivô do crime da rua Toneleros, que provocara o suicídio de Getúlio Vargas, o caudilho que o trouxera à vida pública, nomeando-o ministro do Trabalho. Antes ele era apenas o descompromissado *playboy* de São Borja, João Belchior Marques Goulart, conhecido como Jango nos bares e bordéis em toda a zona missioneira.

Quando recebera o telegrama de seus assessores, Jango confessara que não sabia se realmente devia apertar a mão do homem que mais o combatera, mais o insultara, mais o caluniara. Era dose demais para um gaúcho como ele. Precisava de tempo para reavaliar sua decisão de apertar aquela mão que ele considerara assassina.

Além do mais, poucas horas antes da chegada de Lacerda, seu cunhado Leonel Brizola, também exilado, mandara-lhe um recado que era uma condenação: "Podes receber o homem, mas saibas que o cadáver do velho Getúlio, lá em São Borja, vai ficar morto de vergonha."

Quando desembarcamos, não percebi que havia esse contratempo. Se Lacerda o percebeu, nada comentou. Jamais comentaria. Tinha interesse em encontrar o ex-presidente, estava ali para isso. Naquele instante era um animal político.

Ivo Magalhães, ex-prefeito de Brasília durante o governo de Jango, igualmente exilado no Uruguai, também apareceu no aeroporto de Carrasco. Em sociedade com Cláudio Braga, arrendara o hotel Allambra, onde se reunia a maioria dos exilados brasileiros. Além disso, era o procurador universal de Jango.

Fomos de carro para o Columbia Palace Hotel. Almoçaríamos no Aguila, um dos restaurantes tradicionais da cidade e o único aberto até mais tarde. Lacerda pediu sardinhas portuguesas, um de seus pratos preferidos.

Enquanto isso, Cláudio Braga e Ivo Magalhães, tentando disfarçar a preocupação – que não percebíamos –, volta e meia iam ao telefone, desculpavam-se, explicando que estavam tentando ter notícias se o presidente já havia chegado. Na verdade, continuavam convencendo Jango de que deveria receber cordialmente seu mais feroz inimigo.

Com o passar do tempo, Lacerda mostrou-se impaciente, queria saber se Jango já tinha chegado de Punta del Este. Cláudio e Ivo então resolveram nos deixar no hotel e ir até o apartamento do ex-presidente, saber o motivo da demora que, na realidade, era uma mudança inesperada que criaria um constrangimento brutal em todos.

Acharam que pessoalmente seria mais fácil convencer Jango a receber Lacerda. Argumentaram que agora não dava mais para desistir, seria horrível, indesculpável em todos os sentidos.

Eu também viria a saber, que, além de lutar contra a crise de consciência de Jango, Cláudio e Ivo tiveram de lidar com a reação de dona Maria Thereza. Ela não queria que o marido recebesse o ex-governador da Guanabara. Volta e meia interrompia a conversa dos três:

– Tu vais receber esse homem?

Depois de algum tempo, finalmente, Cláudio e Ivo escutaram de Jango:

– Então tá, traz esse cara aqui, vou recebê-lo.

Jango e Lacerda conversaram mais de três horas, das 17 às 20 horas de domingo, na presença de Renato Archer, Ivo Magalhães,

Cláudio Braga, Amaury Silva, José Gomes Talarico e minha – só interrompidos para que Lacerda fosse apresentado a dona Maria Thereza e aos filhos do casal, Denise e João Vicente.

O ex-presidente pediu ao filho que mostrasse a Lacerda seu caderno da escola. O garoto estava aprendendo a escrever em espanhol. Lacerda ficou emocionado. Jango não se conformava com o fato de João Vicente estar sendo alfabetizado numa língua que não era a sua.

Das 22 às 4 da manhã, conversaram a sós. Marcaram então uma reunião para as 9 horas do dia seguinte.

*

– *Buenos días, señor, son las ocho* – era a telefonista do hotel que me acordava.

– *Gracias, señora. Por favor, quiero hablar con la habitación 602.*

Lacerda já havia se levantado.

– Temos novo encontro às 9 horas para a redação do comunicado em conjunto. A conversa foi excelente. Leve as máquinas, a de escrever e a fotográfica. Não se esqueça de botar filme, para depois não dar vexame no Rio.

O político nunca deixara de ser um chefe de reportagem. Acima de tudo, um jornalista.

No *hall* do Columbia, o pessoal das agências, das rádios, dos jornais aguardava. Havia jornalistas de vários lugares do mundo. Se não me engano, até da Rússia.

– Nenhuma novidade por enquanto – informou Archer. – O governador Carlos Lacerda e o presidente João Goulart conversaram na tarde e na noite de ontem. Estejam no apartamento do presidente por volta das 11 horas, será distribuída uma nota oficial.

Às 11 horas, a nota ainda estava sendo batida. Na reunião das 9, Jango e Lacerda disseram em linhas gerais o que estavam pensando. Eram duas notas, uma de cada um, escritas de manhã cedo, antes do novo encontro.

Os assessores de Goulart queriam que cada um distribuísse sua nota. Archer ponderou que o certo, em tais casos, era um comunicado em comum:

– É a regra normal na diplomacia. E evitará intrigas. Se os dois saírem com notas individuais, darão a impressão de que não houve entendimento, tanto que nem assinaram o mesmo documento.

Jango e Lacerda concordaram.

Mas Jango acrescentou:

– Só gostaria que fosse incluído aquele parágrafo em que assinalo que não discutimos o problema de um terceiro partido e da candidatura presidencial.[3]

– Nada tenho a opor, presidente, pois é a verdade – disse Lacerda.

– O senhor me entende, governador, é um problema político meu, uma satisfação que devo a meus correligionários.

– Foi bom que o senhor tocasse no assunto. Sei que a idéia de formar um terceiro partido e desde já lançar candidaturas são intrigas que tentam personalizar a Frente Ampla, e com isso, torpedeá-la.

– Saiba, governador, tem muita gente que vem aqui ou manda me dizer que eu não devia me encontrar com o senhor. Que não devo entrar na Frente Ampla. Mas eu digo a eles: que é que vocês têm feito pelo restabelecimento da democracia? Eles me dizem: Estamos aproveitando a única faixa de oposição existente. Eu lhes digo: Pois, meus amigos, é uma faixazinha muito pessoal a de vocês, muito egoísta e cômoda, o povo não cabe nela. O Lacerda pelo menos me manda dizer que vem falar comigo a qualquer hora e me oferece uma saída pacífica e democrática. Vou entrar na Frente, sim, digam o que disserem.

– O problema com sua área é quase o mesmo que o meu, presidente. Também estou sendo criticado pelo nosso encontro.

– Quis deixar bem claro esse ponto, governador, pois estamos dando ainda o primeiro passo. Se vierem as eleições, o problema de novos partidos e até o da sua candidatura serão discutidos na ocasião devida.

– Como o senhor sabe, presidente, gosto de atirar antes. Vocês conhecem meu temperamento. Agora estou vendo que o senhor é um bom discípulo de seu mestre, Getúlio Vargas. Vai esperar primeiro a reação, para depois responder no tom conveniente.

Enquanto numa outra sala o trabalho de fusão dos textos era feito por Archer e assessores de Jango, os fotógrafos subiram para as primeiras fotos e os repórteres foram informados de que o comunicado seria entregue depois do almoço, às 16 horas.

Enquanto esperavam, os dois conversaram sobre as próximas eleições presidenciais nos Estados Unidos, o problema racial e a política internacional. Foram interrompidos: a minuta estava pronta. Sessenta linhas que Jango e Lacerda leram em silêncio.

– Agora o estilo fica a seu critério, governador.

Lacerda emendou ali, Jango emendou aqui, pouquíssimo foi alterado. A versão definitiva ficou pronta lá para as 13 horas. Tiraram-se cópias para a imprensa. Um cafezinho foi servido. O assunto mudou. Jango e Lacerda discutiram problemas de criação de gado, lavoura. Um falava na estância da fronteira, o outro do sítio em Petrópolis.

Antes do encontro com a imprensa, marcado para as 16 horas, fomos almoçar na churrascaria La Azotea, perto da praia de Pocitos. Os dois foram reconhecidos, a cozinheira era gaúcha e janguista.

Seria o primeiro teste da Frente, que começava a ficar mais ampla:

– A senhora conhece mesmo esse moço? – perguntou Jango.

– Conheço sim. É o Lacerda.

– Não está espantada de nos ver juntos? – quis saber Lacerda.

– Se o Jango está com o senhor, também estou, seu Lacerda.

Ao chegarem para a entrevista coletiva, os dois foram informados da nota distribuída horas antes, em Atlântida, por Leonel Brizola, que invocava sua condição de alvo nº 1 do regime militar além de ser cunhado de Jango. Quem a trouxera fora o jornalista Leguizamon, da *United Press*.

– A nota me foi entregue pelo ex-deputado Neiva Moreira – esclareceu.

Leram a condenação arrebatadora de Brizola ao encontro e, de quebra, à constituição de uma frente ampla que tinha como eixo a figura do mais veemente líder da extrema-direita.

Não comentaram o desabafo do ex-deputado e ex-governador do Rio Grande do Sul. A partir de então, Brizola se isolaria numa posição cada vez mais radical.

Reunidos os jornalistas, Jango foi breve:

– O que temos a dizer a respeito do nosso encontro está no comunicado que os senhores acabam de receber.

Distribuído o documento, houve um silêncio pesado. Eu próprio, embora tivesse presenciado todos os lances que gerariam aquela nota, ainda não tomara conhecimento de seu texto definitivo.

"Convencidos da necessidade inadiável de promover o processo de redemocratização do Brasil" – assim começa o documento, que termina em tom ambíguo, entre a conciliação e o confronto: "Não temos ambições pessoais, nem o nosso espírito abriga ódios. Anima-nos tão-somente o ideal que jamais desfalecerá, de lutar pela libertação e grandeza do Brasil, com uma vida melhor para todos os seus filhos. Assim, só assim, evitaremos a terrível necessidade de escolher entre a submissão e a rebelião, entre a paz da escravidão e a guerra civil. Montevidéu, 25 de setembro de 1967. João Goulart – Carlos Lacerda" (ver, nos anexos, p. 258, íntegra do documento).

A alusão final à possibilidade de uma guerra civil não impressionou a imprensa que cobria o encontro. Mais impactante do que qualquer aceno à concórdia ou apelo a uma revolta, os jornalistas estavam excitados com o encontro em si, a reunião de dois adversários tão radicais, que tudo tinham para se esfolarem até fisicamente, de repente de mãos dadas, assinando um texto.

Daí que a reação de alguns foi agressiva, até impertinente.

– Mas o senhor passou o tempo todo criticando ferozmente o governo de João Goulart.

Lacerda respondeu:

– Isso é verdade.

– O senhor foi também o responsável pela queda do governo do Jango.

– E daí?

– Então o senhor é responsável por tudo o que agora está criticando.

– E daí?

Lacerda não se intimidou. Fora a Montevidéu com uma missão e a cumprira.

Corre-corre para não perder o avião. Faltavam 15 minutos para as 17 horas quando a entrevista acabou.

– Adeus, presidente. Quero conhecer sua estância.

– Adeus, governador. Apareça, será um prazer.[4]

Capítulo 3

Do diário do repórter – 26 de agosto de 1976 – Passara vários dias sem ir à redação. Com a morte de JK, no último domingo, praticamente toda a imprensa se fixou no assunto único, o acidente em si, o velório no Rio e em Brasília, a reação do governo militar diante das primeiras manifestações populares que, de alguma forma, significaram a primeira condenação formal do povo brasileiro ao regime. A repercussão nacional e internacional do desaparecimento foi imensa. Feitas as contas, tratava-se de um homem que, mesmo despojado de seus defeitos e qualidades, criara um impacto mundial ao construir toda uma cidade em pouco mais de três anos. As edições extras se sucediam na imprensa, no rádio e na TV. Não havia espaço para outro tipo de pauta.

Foi com alívio que recebi do editor-chefe a matéria de um colega que entrevistara o compositor Tom Jobim na semana anterior. Além de corrigir alguns deslizes do texto, precisava reduzi-lo ao tamanho determinado pelo diagramador, o que significava cortar o equivalente a duas ou três laudas do extenso desabafo do músico brasileiro mais famoso da época.

Tom defendia-se de ataques que o consideravam alienado, recusando-se a produzir canções de protesto ou de crítica ao regime militar. Enquanto a maioria dos principais artistas nacionais havia se engajado naquilo que era considerado "a causa", Tom Jobim continuava a produzir amenidades, insistindo em temas poéticos, sabiás, águas do verão, árvores, pedras nuas escancaradas na paisagem do Rio.

Em certo momento, ele manifestara a intenção de sair do Brasil, dispunha de uma platéia internacional. Pensava em auto-exilar-se, não para fugir da repressão oficial, que na realidade não o atingia, mas da cobrança que se transformara em patrulhamento organizado da vida artística e cultural do país, liderado por remanescentes do Partido Comunista Brasileiro, que, não aderindo ao caminho tradicional da luta armada, desaprovado pela União Soviética, limitava-se a devorar os próprios filhos.

O texto era bom, não exatamente bem-escrito, mas com pequenas alterações resultaria numa boa matéria, deslocada em importância pelo clima do momento, traumatizado pela morte de JK e pelo estranho comportamento do ex-presidente nos dias que antecederam ao desastre na estrada Rio–São Paulo.

Compenetrado no texto que me competia corrigir e reduzir, não notei que um homem se aproximara de minha mesa, parara à frente dela e, sem se anunciar, esperava educadamente que eu o atendesse.

Foi o que fiz. E com surpresa reconheci que, à minha frente, estava Max da Costa Santos, ex-deputado do Partido Socialista Brasileiro, cassado pelo Movimento de 64, um dos líderes mais atuantes da esquerda nacional, e dos mais respeitados.

Éramos amigos, embora não chegássemos a ser íntimos. Fazíamos parte de um grupo que se reunia na Civilização Brasileira, rua 7 de Setembro 97, editora e livraria de Ênio Silveira, onde se formara o grupo pioneiro de combate ao regime militar, desbaratado progressivamente pela violência da repressão política e econômica, que pouco a pouco prendeu quase todos os seus integrantes e levou a editora à concordata.

Olhei Max e estranhei que ele não tivesse se anunciado, como era praxe na empresa. Não sei como ele evitou as recepcionistas e contínuos para chegar até a redação. Vestia uma calça *jeans*, camisa branca e descuidada. Era um homem bonito, morava bem, numa bela casa no Cosme Velho, vizinha da que pertencera a Ana Amélia e Marcos Carneiro de Mendonça.

Sem me cumprimentar, revelando uma tensão que eu não conhecia nele, Max me perguntou, em voz baixa:

– Quanto você está ganhando aqui?

A pergunta, além de surpreendente, era até ofensiva. Não merecia resposta mas outra pergunta, que redimisse a grosseria dele, um homem cordial, um aliado, um amigo, afinal de contas.

– Que isso, Max?

Ele fumava muito e só então reparei que não tirara o cigarro da boca. Morreria cedo, pouco depois desse encontro, seria arrolado como uma das vítimas da nicotina, numa campanha contra o fumo que se iniciava em escala mundial.

– Pago a você o dobro se deixar tudo aqui e vier trabalhar comigo, na Editora Paz e Terra, numa pesquisa sobre a morte de JK.

Já tinha certa experiência em receber propostas estranhas e convites absurdos, mesmo assim encarei Max com espanto.

– Você não acreditou nesse "acidente" – continuou ele. – JK foi vítima de um atentado.

Não era a primeira vez que ouvia a versão que negava o acidente. Mas de tal forma a hipótese me parecera absurda, que não ligara para ela. Não estava de plantão no domingo passado, mas fora convocado pelo diretor da redação, o jornal faria uma edição extra no dia seguinte, com a cobertura do acidente na Rio–São Paulo.

Fui destacado para ficar no Instituto Médico Legal, uma caminhonete da empresa deixou-me na avenida Mem de Sá, o trecho já estava tomado por carros da reportagem de diversas TVs, rádios e jornais.

Esperava-se a chegada do corpo de JK a qualquer momento, havia um assanhamento geral, cada um inventava uma história para driblar o cerco policial e poder entrar no IML.

Eu conhecia quase todos os colegas que ali estavam, mas fui o único que conseguiu se aproximar de um carro da revista *Manchete* que trazia dois diretores da revista. Todos sabíamos que, devido às ligações da revista com JK, eles teriam facilidade de entrar no Médico Legal. E não deu outra. Os policiais reconheceram os dois jornalistas, Murilo Melo Filho e Carlos Heitor Cony, que vinham com as instruções de dona Sarah Kubitschek a respeito do velório do marido. Ambos eram amigos pessoais de JK. Murilo fora o primeiro jornalista a dirigir uma sucursal durante a construção de Brasília, e com o fotógrafo Jáder Neves, eram candangos que tinham acesso direto e imediato ao presidente da República durante as visitas que ele fazia às obras da cidade.

Cony não conhecera JK naquele tempo, mas após a cassação do ex-presidente fora colocado à sua disposição para auxiliá-lo na redação de suas memórias. Ele trabalhara comigo no antigo *Correio da Manhã*, não éramos íntimos mas volta e meia nos encontrávamos por aí, podíamos nos considerar amigos.

Os dois jornalistas da *Manchete* não tiveram dificuldade em entrar no IML, mas antes, Cony se comprometeu a me passar informações. Trabalhava para uma revista semanal, eu para um jornal diário: não éramos concorrentes.

Hora e meia após, eles saíam do IML, Cony convidou-me a entrar no carro da *Manchete*. Pela primeira vez mencionou uma dúvida que na hora julguei absurda: JK fora vítima de um acidente ou de um atentado?

– Como?

Ele ficou embaraçado, era evidente que não devia ter dito aquilo. Apertei-o como pude e ele limitou-se a contar o que se passara lá dentro.

– Dona Sarah pediu a mim e ao Murilo que viéssemos ao Médico Legal procurar o genro dela, Rodrigo Lopes, que ali estava, em nome da família, esperando o corpo chegar de Resende. Encontrei o Rodrigo muito abatido, numa sala da diretoria do Instituto, com alguns médicos e funcionários em volta. Dirigi-me a ele e dei o recado de dona Sarah, que desejava o velório não mais no Museu de Arte Moderna, mas no edifício da *Manchete*. Enquanto falava com Rodrigo, ele fora interrompido por um homem que parecia estar desempenhando, com desembaraço, as funções de responsável pelo corpo de Juscelino.

E continuou:

– Era o Dr. Guilherme Romano. Eu o conhecia, do tempo em que ele havia sido diretor do Departamento de Saúde Pública, se não me engano durante a gestão de Negrão de Lima na prefeitura do então Distrito Federal. Ganhara notoriedade por ter criado os Comandos Sanitários, que promoveram bem-sucedida campanha em restaurantes, bares, lanchonetes, mercadinhos de hortigranjeiros, colocando-os dentro das exigências da higiene pública. Era um dos amigos mais íntimos do general Golbery do Couto e Silva, criador do Serviço Nacional de Informações e, posteriormente, chefe da Casa Civil da Presidência da República nos governos Geisel e Figueiredo. O general era considerado a eminência parda do regime militar pelos dois lados: situação e oposição.

Guilherme Romano o socorria em seus muitos episódios de saúde comprometida por uma complicada doença nos olhos. Não ambicionava cargos nem uma posição oficial na estrutura visível do Estado. Mas ganhara grande prestígio pelo seu acesso ao general que era tido como o feiticeiro do governo, o homem que manobrava nas sombras e ao qual era atribuído o lado substantivo de todas as medidas, boas ou más, criadas e impostas pelo Movimento de 1964.

Ele entrou na conversa que eu mantinha com Rodrigo Lopes, perguntou o que estava havendo, suspeitando que minha presença ali, ao lado de Murilo, dois homens da *Manchete*, que era de fato a segunda casa de JK em seus últimos anos de vida, representava uma mudança nas ordens recebidas de dona Sarah, determinando o velório no Museu de Arte Moderna. Abalada com a notícia da morte do marido, ela o encarregou de representar a família, inicialmente junto à delegacia de Resende, em cuja jurisdição ocorreu o acidente, mais tarde no Médico Legal do Rio, onde o corpo seria liberado para o sepultamento.

Repeti para Guilherme Romano o recado de dona Sarah, que, a pedido de Adolpho Bloch, decidira fazer o velório no saguão da revista onde JK mantinha seu último gabinete de trabalho e, durante os anos de ostracismo, dera-lhe abrigo e cobertura. Gentilmente, Guilherme Romano voltou-se para Rodrigo, dizendo que nada tinha a contestar ou acrescentar à ordem vinda da viúva.

Cony continuou:

– Naquele instante, olhei bem para o Dr. Romano, e tive vontade de perguntar-lhe o que ele estava fazendo ali, já que pessoas da família poderiam estar cuidando de tudo, como o marido de Maria Estela, o genro sempre leal a JK. Nada disse, não havia clima para isso. Na ocasião, fiquei sabendo também que o Dr. Romano estivera na delegacia de Resende, recolhera, mediante recibo, os pertences de JK que estavam no carro acidentado: um relógio Rolex, de ouro, uma pequena maleta com roupas, o livro *Oh Jerusalém*, de Dominique Lapierre e Larry Collins, na edição francesa, o exemplar da *Manchete* que está nas bancas, com a foto de Jânio Quadros na capa, e algumas poucas páginas do diário que JK vinha escrevendo desde 1972, relativo aos últimos dias que passou em Luziânia. O restante do diário está em seu gabinete, na *Manchete*, com sua secretária, Elisabeth Ramos; suas anotações terminam em junho deste ano, quando foi para sua fazenda, próxima a Brasília.

– Bem – disse eu –, só isso de novidade? E como foi o acidente?

– Acidente? Sim, acidente...

Cony tinha alguma coisa na cabeça e disse-lhe isso. Haveria lugar para alguma dúvida?

Ele titubeou. Quase falou qualquer coisa, mas preferiu ficar em silêncio. Somente algum tempo depois, me perguntou:

– Você não acha estranho que o Dr. Guilherme Romano, homem notoriamente ligado ao general Golbery, ao SNI, tenha sido o primeiro a aparecer no local do acidente?

– Você suspeita de alguma coisa? – respondi com outra pergunta.

– Não suspeito de nada. Apenas achei estranha a presença de um homem tão ligado ao sistema, no setor das informações e do controle da opinião pública, num acidente em que morreria um dos políticos que mais preocupavam o regime... talvez o mais vigiado...

Mais tarde, e progressivamente, muita gente estranharia a presença de Guilherme Romano nos momentos seguintes ao acidente.

*

Não me abri com Max da Costa Santos, revelando o meu encontro com o jornalista da *Manchete*, na calçada do Instituto Médico Legal, poucas horas depois do acidente na Rio–São Paulo.

Limitei-me a dizer que no momento não tinha condições de interromper meu trabalho, concordava que o assunto merecia ser investigado, mais cedo ou mais tarde surgiriam dúvidas sobre a tragédia de JK na Rio–São Paulo. Admirava a intuição dele, poderia até concordar com ela, mas não me interessava romper a relação profissional que mantinha com o jornal.

Max esperava outra reação minha, mas educadamente me informou que continuaria buscando uma pessoa, um "profissional de investigação", que mergulhasse fundo naquele assunto. Tinha a certeza de que JK fora vítima de um atentado.

– Bem, acho que estou fazendo minha obrigação – disse ele. – Espero que a imprensa faça a dela...

E acrescentou com alguma ironia, que era mais amargura:

– ... se puder...

Levei-o até o elevador da redação, procuramos manter a cordialidade do encontro, falamos de amigos comuns. Foi a última vez que o vi. Um enfarte matou-o meses mais tarde. Não sei se arranjou realmente um profissional de investigação – coisa que eu não era – para ajudá-lo a decifrar um enigma que cresceria com o tempo e com indícios cada vez mais fortes, tão fortes que muitas vezes pareciam mais convincentes do que as provas oficialmente apuradas.

Um paradoxo, sem dúvida. Pela lógica e pela realidade, as hipóteses não podem prevalecer sobre os fatos, os indícios nada valem diante das provas.

Paradoxal ou não, estava aberto mais um caso de complexa solução e que iniciaria, de forma primeiramente suave, mas progressivamente truculenta, o drama e a decadência de um profissional até então respeitado no mercado de trabalho, fundo de um poço no qual mergulhei e do qual não sei se sairei com vida.

Capítulo 4

Do diário do repórter – abril de 1982 – Não dei importância ao primeiro indício de que não mais estava agradando ao jornal em que trabalhava. Praticamente, esquecera a estranha visita que o ex-deputado me fizera, a proposta abrupta para que largasse tudo e fosse pesquisar o acidente que matara JK. Nem mesmo quando, em dezembro do mesmo ano, morria o ex-presidente João Goulart, no exílio. E em maio de 1977 morria Carlos Lacerda, encerrando um ciclo de mortes que fizeram sumir do cenário político nacional as três lideranças civis mais importantes, que juntas haviam tentado uma frente ampla contra o autoritarismo militar e teriam condições objetivas para abrir o regime, numa cruzada democrática sem ressentimentos e vinganças.

Numa entressafra do noticiário, quando nada parecia acontecer no mundo e no Brasil, eu aproveitei um fim de semana, abri a Remington portátil que não mais usava, fiz um pequeno texto para a reunião das segundas-feiras, quando a chefia da redação convoca os editores, redatores e repórteres para elaborar a pauta das edições de terça a domingo.

Fiz o que pude para caprichar num roteiro que já incluía diversas suspeitas e hipóteses que estavam se formando sobre a morte dos três líderes que, apesar do ostracismo e do exílio, ainda teriam condições de mobilizar a sociedade civil contra o sistema militar que dominava a vida nacional desde abril de 1964.

O superintendente do jornal presidia a reunião, recolheu as sugestões escritas e começou a lê-las para o debate de cada uma. Dava a palavra ao autor da proposta, orientava a discussão, até que a maioria aprovasse ou recusasse a idéia.

Os assuntos da atualidade desfilavam, cada editoria defendia suas sugestões. Esperei pela vez em que minha pauta seria discutida. Talvez pelo fato de meu assunto ser mais longo do que os demais, duas laudas de texto, quando a maioria das sugestões era de algumas linhas, notei que o superintendente a colocou de lado, encerrando a reunião sem qualquer referência ao assunto proposto.

– Você não aceitou minha sugestão, nem a colocou em debate. Eu poderia acrescentar alguns detalhes, acredito que a maioria poderia aprová-la – queixei-me.

O superintendente devolvia os textos a cada um dos participantes da reunião, deixou por último minha sugestão, ia devolvê-la mas, de repente, mudou de idéia e guardou-a em sua pasta.

– Vamos conversar. Eu o chamarei mais tarde.

Eu deveria ter desconfiado de que ela fora vetada. Mas na hora, tão confiante estava na importância do meu assunto, acreditei que o superintendente desejaria discuti-la não com o corpo editorial, mas com a cúpula da empresa. Bom sinal, evidentemente, que revelava sua importância e oportunidade.

No final da noite, quando todos os cadernos estavam fechados, faltando apenas as chamadas da primeira página, fui convocado à sala do superintendente. Não gostei quando vi que ali estavam o diretor do comercial e um dos filhos do dono do jornal.

A comunicação foi rápida. A sugestão que apresentara, na reunião de pauta, não tinha sentido e não havia interesse em se apurarem fatos já antigos, superados por outros mais importantes e recentes. Sim, muita gente estranhara a morte daqueles três integrantes da Frente Ampla que pretendia criar uma opção civil e democrática para o autoritarismo dos sucessivos governos militares. Mas o regime se estabilizara, dera bons frutos econômicos, gerara aquilo que estava sendo chamado de "milagre brasileiro". Ressuscitar no noticiário os grandes fantasmas que dominavam a vida nacional antes do Movimento de 1964 era, além de inútil e antijornalístico, de evidente mau gosto. Ele não usou a palavra "ressuscitar", usou uma expressão nova, que eu ouvia pela primeira vez e que entraria em uso geral na imprensa da época: disse que eu pretendia tirar "esqueletos do armário".

Deixou claro que falava em nome de seus colegas de diretoria:

– Nós apreciamos seu trabalho, ninguém lhe roubará o mérito das matérias sobre a morte dos três, mas nada de novo apareceu sobre o assunto, nenhum fato de relevância que conteste as versões oficiais. Insistir no tema será uma cascata que deixará mal tanto o jornalista como o jornal.

Pensei um pouco, senti que a barra ficara pesada para o meu lado, mesmo assim insisti:

– Reconheço que não há fatos novos. Há fatos mal apurados, muitas perguntas no ar, sem resposta. Baseei-me na soma de indícios de uma conspiração, como está na pauta que elaborei. Em nove meses morreram as principais lideranças civis do país, os três que haviam formado a Frente Ampla, dissolvida pelos militares e que teria sido, mais do que o discurso do Márcio Moreira Alves na Câmara dos Deputados, o verdadeiro motivo para que o governo militar baixasse o Ato Institucional nº 5.

– É uma opinião pessoal sua, meu caro. Você não apresenta fatos novos, limita-se a fazer hipóteses, algumas prováveis, outras nem tanto. Não fazemos história, fazemos jornal. É mais importante dar a previsão do dia, a cotação do dólar, as intrigas das telenovelas que estão no ar, a próxima escolha do novo técnico da seleção... Jornal é feito de coisas miúdas... nosso compromisso é com o dia-a-dia, a informação ao leitor, que não está nem aí para saber se JK morreu num acidente ou num atentado, se Jango foi ou não envenenado, se Lacerda tomou uma injeção letal na clínica onde se hospitalizara. Já se passou muito tempo sobre esses fatos, nada se apurou. Traga-nos uma prova do crime, ou dos crimes, e nosso papo será outro.

– Não há provas, realmente – admiti. – Mas há coincidências, antecedentes estranhos, como o boato de que JK teria morrido num acidente de carro na estrada de Luziânia para Brasília, na tarde de um sábado, na mesma hora em que, dias depois, ele morreria na estrada Rio–São Paulo...

O filho do dono do jornal, que ali representava a Tradição, a Família e a Propriedade, encerrou a questão:

– O jornal tem uma imagem de credibilidade que não podemos colocar em risco. Traga-nos um fato novo e avaliaremos sua sugestão.

Para atenuar a cortada do representante da família que detinha o poder acionário do jornal, o superintendente, um simples profissional, um empregado como eu, ofereceu-me uma compensação.

– Você não quer fazer uma viagem? O editor de turismo está preparando um suplemento especial para o próximo verão... inclui uma parte nacional e uma parte internacional... você gosta tanto da Itália... podia mandar textos de Roma, Florença, Veneza, Milão...

– E até mesmo de Positano... – acrescentou o diretor comercial, calado até então, e que gostara da matéria que dois anos antes eu fizera sobre a Costa Amalfitana.

A proposta cheirava a suborno. Mas na hierarquia de um jornal, eles tinham o direito de vetar ou sugerir matérias sobre qualquer assunto. Era lógico que eu não podia insistir, defender minha proposta de pauta.

Agradeci a lembrança do superintendente, sim, por que não? Um mês na Itália, por conta do jornal, carro alugado, bons hotéis, classe executiva nos deslocamentos aéreos, todas as despesas pagas, além do salário...

– Bem, eu aceito... mas vou continuar ligado a este assunto... para falar a verdade, não tenho pressa. Já, ou daqui a cinco, dez, vinte anos, talvez surja o fato novo que o caso realmente está exigindo... e se não for eu, certamente será outro profissional que se interessará pelo assunto...

A solução agradou, aparentemente, a todos, inclusive a mim, pois fizera o que podia: oferecer uma boa matéria ao jornal e, vendo-a recusada, topar outra tarefa, mas deixando claro que permaneceria pesquisando as três mortes que a direção do jornal considerava superadas, sem discutir as versões oficiais ou oficiosas que o governo militar criara.

O jornal aceitava submeter-se às conveniências políticas da época, mesmo as da oposição, interessadas em não criar um ponto de atrito que poderia prejudicar a abertura que estava sendo feita – de acordo com o general-presidente do período – de forma lenta, gradual e segura para o próprio regime.

*

O verão chegou, a editoria de turismo lançou um caderno rotineiro, sobre os encantos de nosso litoral. Não cobrei a promessa que me haviam feito, foi o próprio superintendente que, uma tarde, me encontrando na cantina do jornal, explicou que a situação estava difícil, o comercial não dera sinal verde para despesas maiores, pelo contrário, pedira um violento corte de custos.

Aceitei a desculpa. E como continuava juntando material para minha pesquisa, achei até melhor não viajar para o exterior, onde certamente colocaria meu assunto em ponto morto.

Ao mesmo tempo, esperava que, de uma hora para outra, surgisse algum fato que servisse de gancho para que eu apresentasse novamente a sugestão, mas este fato não aparecia. Apareciam hipóteses antigas ou improváveis, sobretudo sobre a morte de JK, como a existência de uma bomba dentro do carro do acidente, ou de um atirador de elite que disparara um tiro na cabeça do motorista Geraldo Ribeiro, o que teria levado o Opala em que o ex-presidente viajava à pista contrária, quando se chocaria com a pesada carreta que provocaria o desastre.[5]

Quanto aos casos de João Goulart e Carlos Lacerda, sobretudo este último, nada surgia de novo, sendo que a morte de Lacerda nem sequer era mencionada como suspeita. Contudo, no dia 20 agosto de 1982, abri a porta do meu apartamento e apanhei o jornal. Ia sentar-me para tomar o café quando uma chamada na primeira página me perturbou:

JUSTIÇA ARGENTINA VAI PEDIR
EXUMAÇÃO DO CORPO DE JANGO

A Justiça argentina solicitará ao Governo brasileiro a exumação do corpo do ex-presidente João Goulart, sepultado em São Borja, para a realização de necropsia. A medida se deve à denúncia judicial apresentada pelo advogado uruguaio Enrique Foch Diaz, levantando a suspeita de que a morte do ex-presidente, ocorrida em 6 de dezembro de 1976, possa ter sido por envenenamento e não por enfarte do miocárdio, como foi diagnosticado à época. O juiz Juan Espinoza, do tribunal argentino de Curuzu Cuatia, onde corre o processo, disse ontem que o caso somente poderá ser apurado com a exumação, ao lado do depoimento de pessoas que conviveram com Goulart nos últimos anos.

Finalmente, era o fato novo que esperava e que condicionava a publicação da minha sugestão, que parecia esquecida por todos e, eventualmente, até mesmo por mim. Fui direto para a página indicada. A matéria era enorme e continha dados que até então eu ignorava. O mais importante me pareceu a brecha para que a exumação não fosse realizada.

"Ele (o juiz) não quis dar maiores informações sobre o processo, explicando ter recebido determinação do Ministério do Interior argentino para prosseguir em sigilo as investigações. Informou apenas que, no começo da semana, recebeu ordens para dar início ao processo."

ver nos anexos, p. 260, matéria do jornal *O Globo*

Na época, tanto o Brasil como a Argentina viviam sob regime ditatorial. A possibilidade de, literalmente, tirar um esqueleto do armário, ou seja, o cadáver de um ex-presidente do túmulo para uma autópsia, qualquer que fosse a culpa ou a inocência dos militares brasileiros ou argentinos, seria um risco que deveria ser evitado. Um categorizado emissário do governo brasileiro foi a Buenos Aires na semana em que saiu a matéria, contactou autoridades argentinas, a começar pelo próprio presidente da República. A exumação não foi feita.

A matéria de *O Globo* colocou num boxe à parte alguns casos que intrigavam a opinião pública:

Carlos Prats – O ex-comandante-em-chefe do Exército chileno, general Carlos Hugo Prats Gonzalez, foi morto, em Buenos Aires, juntamente com sua mulher, Carmen Sofia Culthbert Prats, aos primeiros minutos do dia 30 de dezembro de 1974, quando explodiu uma bomba no Fiat que dirigia.

Orlando Letelier – O ex-chanceler chileno Orlando Letelier foi assassinado no dia 21 de setembro de 1976, em Washington, com a explosão de uma bomba em seu carro, por volta das 10 horas.

Juscelino Kubitschek – O ex-presidente Juscelino Kubitschek morreu a 22 de agosto de 1976, quando seu carro se chocou com uma carreta, por volta das 18 horas, à altura do Km 165 da Via Dutra, próximo a Resende.

Carlos Lacerda – O ex-governador Carlos Lacerda morreu às 2 horas do dia 21 de maio de 1977, na Clínica São Vicente, na Gávea, onde se internara pela manhã. O atestado de óbito indicou enfarte do miocárdio.

Capítulo 5

Do diário do repórter – outubro de 1982 – Pesquisara muita coisa, juntando recortes de jornais e revistas numa das gavetas de um armário de aço que Verônica me sugerira comprar. Pois já me separara de minha mulher e de minhas duas filhas, ou melhor, elas é que se afastaram de mim, minha vida profissional começara a decair, passara dois anos ou mais sem nenhuma revisão salarial, apesar da inflação cada vez mais alta. E tinha dificuldade em emplacar textos em outros jornais ou revistas, o que sempre me garantira uma renda extra durante toda minha carreira.

Conhecera Verônica na festinha de aniversário de um colega, eu já em processo de desintegração familiar, ela também, e dois náufragos, mesmo que se detestem, encontram um motivo comum para se agarrarem à mesma tábua.

Mais tarde, passaria a gostar dela, talvez a amá-la. E acredito que ela, se não chegava a me amar, ao menos me admirava, admirava em especial minha obsessão em seguir uma idéia que não me dava retorno algum, pelo contrário, cada vez mais me afundava, mais me discriminava no mercado de trabalho.

Passei a morar sozinho; numa quitinete na Glória, espalhava o material que ia juntando pelo chão, em cima da pequena mesa em que, eventualmente, como a *pizza* que mando buscar. Mais tarde em dois arquivos de aço, um que consegui comprar, outro com que Verônica me presenteou.

Estou em decadência – sou o primeiro a admitir isso. Com quase 45 anos, a idade em que os grandes cobras da imprensa começam a se firmar, eu caíra na vala comum do noticiário miúdo, mudando de uma para outra editoria, pulando da economia para o esporte, do esporte para a cidade, da cidade para o comportamento. Podia me dar bem em qualquer uma delas, mas não me levavam a sério, trazia na testa o estigma do especialista num assunto único, obcecado por matérias que não interessavam a ninguém. As mortes de JK, Jango e Lacerda só preocupavam poucas pessoas – eram assuntos esotéricos, como os discos voadores, os extraterrestres.

Havia um precedente que me foi lembrado por um antigo redator dos Diários Associados, a rede de jornais, revistas, emissoras de rádio e TVs de Assis Chateaubriand, o maior colosso da comunicação em seu tempo. A revista *O Cruzeiro*, a maior da América Latina, que vendia 700 mil exemplares por semana e tinha edições em português e espanhol, publicara famosa matéria do repórter João Martins e do fotógrafo Ed Keffel, sobre um disco voador na Barra da Tijuca, disco que fora visto e fotografado, provocando um impacto na imprensa internacional.

As fotos foram examinadas por especialistas de diversos países, houve controvérsias, alguns peritos afirmaram que eram verdadeiras, sem truque nem montagem, outros denunciaram uma fraude. O fotógrafo foi elogiado pela competência técnica com que tirara as fotos que, verdadeiras ou falsas, deram um *show* de fotografia.

O mesmo não aconteceu com João Martins, o autor do texto. Ele ficaria marcado para o resto de sua vida profissional – esteve internado diversas vezes para curar sua depressão, perdeu substância, e embora fosse um excelente repórter, dono de um texto correto e tecnicamente perfeito, nunca mais conseguiu uma boa situação no mercado de trabalho.

Mesmo com esse antecedente, joguei tudo de uma só vez, fazendo um texto com os poucos elementos que possuía, falando nas três mortes que, na realidade, pareciam só preocupar a mim. Defendi minha matéria com veemência junto à direção do jornal e, para se verem livres de mim, prometeram publicar meu texto – que seria o pretexto para minha demissão, dois meses depois, sob a alegação do "corte de custos" e inchaço do grupo de repórteres que, como eu, dançavam de uma editoria para outra, sem pouso certo, para me fixar num tipo de especialidade que me desse credibilidade maior e, suplementarmente, maior respeito profissional.

Mais uma vez a matéria seria vetada.

Para falar a verdade, eu nem sofri com aquele tipo de censura. Começava a ficar descrente do jornalismo; daí para a frente – prometi a mim mesmo – serei apenas um profissional. Entre vender sapatos e terrenos, ser bancário ou banqueiro, continuarei a ser jornalista. É um ofício, como todos os demais, regulamentado pelo Ministério do Trabalho. Ainda bem. As prostitutas, que, segundo dizem, exercem o ofício mais antigo do mundo, nem sequer têm carteira de trabalho.

Eu não lia regularmente a *Manchete*, que perdera sua força inicial e praticava um tipo de jornalismo ameno, bem-feito sem dúvida, mas periférico, só se sobressaindo por ocasião de coberturas especiais.

Foi Verônica que apareceu, já no meu apartamento da Glória, com um exemplar da revista, aberta numa página dupla com as fotos de JK, Jango e Lacerda. O texto era assinado pelo jornalista Carlos Heitor Cony que, na calçada do Instituto Médico Legal, no início da noite de 22 de agosto de 1976, pela primeira vez me fez pensar que o desastre na Rio–São Paulo poderia ser um atentado.

O MISTÉRIO DAS TRÊS MORTES

Foi um choque que me percorreu o corpo: semana passada, apanhei o exemplar de *O Globo* que a empregada trouxera e li, na primeira página, que as autoridades argentinas tencionavam pedir a exumação do corpo de João Goulart, pois havia suspeitas a respeito de sua morte. A razão do choque tem um motivo: desde agosto de 1976, há exatamente seis anos, a dúvida me persegue.

O acidente que matou Juscelino Kubitschek na tarde de 22 de agosto daquele ano, numa estranhíssima viagem pela Rio–São Paulo, teria sido casual ou proposital? Dito assim, pode parecer paranóia oblíqua de minha parte. Mas vamos aos fatos:

Pouco depois da morte de JK, fui procurado pelo ex-deputado Max da Costa Santos, que na época dirigia a Editora Paz e Terra. Exaltado, falando aos arrancos, Max desejava que eu abandonasse tudo e fosse pesquisar os detalhes do acidente que matara Juscelino.

Ele estava possuído pela sua verdade: tinha a certeza de que o acidente fora forjado, tal como o desastre que matara, meses antes, a costureira Zuzu Angel, mãe de Stuart Angel, assassinado nos tempos mais negros da repressão. Disse a Max que também havia suspeitado daquela morte, sobretudo porque, duas semanas antes do acidente na Rio–São Paulo, correra a notícia de que JK havia morrido na estrada que liga Luziânia a Brasília, em circunstâncias quase idênticas às do desastre sofrido por Zuzu Angel. Lembro-me bem daquele dia: Adolpho Bloch me telefonara, chorando, dizendo que acontecera uma tragédia com JK, já havia reservado um táxi aéreo e pedia que eu o acompanhasse a Brasília. Fui para a casa do Adolpho e lá acertamos que o mais prudente seria mandar alguém da nossa sucursal, na capital federal, até a fazenda de JK, inteirar-se da verdade. Se fosse o caso, viajaríamos naquela noite mesmo para Brasília. Felizmente, a notícia foi desmentida. Mesmo assim estranhamos que o boato tivesse circulado em diferentes locais, à mesma hora, como que obedecendo a um plano infernal.

Duas semanas depois, quando o telefone tocou e Rodrigo Lopes, genro de JK, perguntou a Adolpho se ele sabia de alguma notícia má, a primeira reação de Adolpho foi de exaltação: parassem com aquelas brincadeiras, JK tinha ido de São Paulo para Brasília, estava com o bilhete de volta no bolso, na véspera, o próprio Adolpho quisera trazer JK ao Rio e ele se recusara, misteriosamente. Aliás, o comportamento de JK naquele último fim de semana fora muito estranho. Nem para seus melhores amigos, como Adolpho, Carlos Murilo, Ildeu de Oliveira, nem para sua família, declarara a intenção de vir ao Rio. No entanto, colocara seu motorista, Geraldo Ribeiro, em *stand by* no Km 2 da Rio–São Paulo, para a possibilidade de uma viagem ao Rio. Almoçou com amigos e deles se despediu dizendo que ia para Brasília. O motorista da *Manchete* que estava à sua disposição tinha ordens para levá-lo ao aeroporto, onde JK tomaria o avião para Brasília. Estranhamente ainda, JK pediu que o motorista o levasse ao Km 2 da Rio–São Paulo. Duzentos quilômetros adiante ocorreu o acidente fatal que o matou, quando seu carro foi imprensado entre um ônibus, em tráfego regular pela rodovia, e um outro carro que, depois de ter acompanhado o Opala de JK por alguns quilômetros, decidiu ultrapassá-lo, justamente no momento em que Geraldo Ribeiro deu sinal de que iria ultrapassar o ônibus. Nesse instante, o carro que vinha, há bastante tempo, atrás do Opala, também fez a ultrapassagem, ao fazê-lo, fechou mais adiante o carro do JK, obrigando

Geraldo a fechar por sua vez o ônibus, cuja velocidade seria a oficial da época, ou seja, 80km por hora.

Para realizar a ultrapassagem com segurança, evidente que Geraldo aumentou sua velocidade até os 100 ou 110. No justo instante da ultrapassagem, ao se sentir fechado por outro carro que desenvolvia maior velocidade, não teve alternativa senão a de jogar seu carro para o lado da pista onde o ônibus trafegava. Com o pequeno choque, quase um raspão, o carro de JK foi violentamente lançado para a contramão, onde uma carreta consumou o desastre.

Dito assim, tudo pode parecer coincidência – e queira Deus que o seja. Mas, na época, estava em moda forjar acidentes de estrada, sendo muitos os que suspeitam do desastre de Zuzu Angel numa das pontes de São Conrado.[6] A hipótese é uma simples hipótese, mas, ainda na mesma época, houve um acidente, na Grécia, em que um adversário do regime dos coronéis morreu em circunstâncias misteriosas. Alexos Panagulis, deputado da oposição, foi vítima de uma emboscada nas ruas de Atenas: jogado contra uma garagem, seu carro espatifou-se, e Panagulis teve enterro de herói nacional. O fato está narrado no livro de Oriana Fallaci (*Um homem*, Editora Record), e através do relato não contestado da jornalista italiana, ficamos sabendo que, antes do acidente fatal, por duas outras vezes o carro de Panagulis fora currado em estradas, em situações mais ou menos análogas às ocorridas em nossa doméstica Via Dutra.

Bem, quando vi Max da Costa Santos exaltado, pedindo que eu abandonasse tudo para me dedicar àquela tarefa (ele chegou a me perguntar quanto eu ganhava, estava disposto a me oferecer o dobro e havia feito o mesmo convite a outros jornalistas) – pensei e pesei todas as circunstâncias que envolviam a morte de JK, mas não topei a tarefa. Disse-lhe que tinha estado no Instituto Médico Legal, não vira o corpo (aliás, pouquíssimos viram o corpo de JK depois do acidente), mas algumas pessoas ligadas à família haviam feito sindicâncias, incluindo o mesmo roteiro do Opala, na esperança de encontrar alguma pista que desmentisse a versão oficial.

Ao terminar uma série de artigos sobre os últimos anos de JK, coloquei o ponto final da narrativa no momento em que Juscelino se despede do motorista da revista e entra no Opala dirigido por Geraldo Ribeiro, seu motorista desde os tempos de Belo Horizonte. Resisti à tentação de detalhar o desastre, pois a dúvida persiste: acidente ou crime?

Em dezembro do mesmo ano morria João Goulart. Dessa vez, não havia dúvida: vitimara-o um ataque cardíaco, o ex-presidente sofria do coração há tempos, estava gordo, a versão parecia mais do que provável. Li tudo o que se escreveu na época, inclusive o relato de sua viúva, que nada constatou de anormal, a não ser o fato de que o vento abrira uma das portas da casa de fazenda onde Jango passaria sua última noite.

Em maio do ano seguinte, ou seja, nove meses depois da morte de JK, morria Carlos Lacerda.

Estranhei, como muitos outros, que em tão pouco espaço de tempo o Brasil perdesse os três líderes mais populares, aqueles que haviam tentado a Frente Ampla em 1967 – busca desesperada para a abertura que só viria bem mais tarde, e após o desaparecimento das três lideranças mais expressivas de nossa vida pública.

Em 1979, estava de férias em Paris quando recebi da chefia de reportagem o pedido para escrever sobre a morte do

Delegado Sérgio Fleury, também vítima de acidente estranho. No texto que então escrevi (Rei sem Lei), fiz uma referência à morte dos três signatários da Frente Ampla, citando, no caso específico de Carlos Lacerda, uma história que ouvi no domingo seguinte ao enterro do ex-governador da Guanabara, que morrera na véspera. A versão me pareceu fantástica: internado na Clínica São Vicente para um *check-up*, Lacerda tomara uma injeção para adormecer, pois estava muito inquieto. Apesar de alguns fiapos de consciência, não mais despertara: teria havido uma troca de medicamento. Em carta a Adolpho Bloch, datada de 18 de maio de 1979, o médico Antônio Rebello Filho (cardiologista e amigo de Lacerda) contestou com veemência a hipótese de qualquer acidente. Mais tarde, o mesmo médico escreveu a David Nasser outra carta, refutando a versão que eu veiculara "num momento de irreflexão" e detalhando o quadro clínico de seu amigo e paciente, desde os primeiros sintomas de fadiga e febre sofridos por Lacerda.

Apesar de provocado, não mantive polêmica com o médico de Lacerda por dois motivos: não iria insistir num disse-me-disse hipotético, do qual só sabia uma generalidade, uma vez que, segundo atesta o Dr. Jayme Landman em livro recente, os hospitais e clínicas de saúde são dos lugares mais perigosos para a saúde de qualquer doente. O outro motivo era de foro íntimo, uma vez que o Dr. Rebello Filho é médico de alto conceito, homem de exemplar correção profissional e notória dedicação a Lacerda, havendo no meio disso tudo um grande número de amigos comuns.

Tampouco voltei ao episódio da morte de JK. Embora o *Coojornal*, de Porto Alegre, houvesse me procurado para detalhar os pormenores do acidente na Rio–São Paulo.

Acredito que disse, a quem me procurou, o seguinte: "Não há provas em contrário da versão oficial. No caso de Lacerda muito menos, não havendo, sequer, uma suspeita já formalizada. E mesmo se houvesse indícios de crime nas mortes de JK e Lacerda, resta a constatação da morte de João Goulart, que foi natural, de ataque cardíaco, durante o sono".
Bem, agora acredito que compreendam o choque que me atingiu, quando li, em *O Globo* da semana passada, a notícia de que cinco anos depois da morte de Goulart, surgia uma hipótese de crime levada a sério ao menos pelas autoridades da Argentina, que solicitaram a exumação do seu cadáver.
Antes de encerrar, gostaria de citar o trecho do artigo que escrevi na *Manchete* de 9 de maio de 1979 sobre a morte de Sérgio Fleury: "Mas não custa associar a morte de Fleury a várias hipóteses. Foi assim com o acidente de Juscelino, antecipado meses antes pelo desastre que matou Zuzu Angel. Quando da morte de JK fui procurado por muita gente interessada em investir na hipótese de um crime. O raciocínio era mais ou menos o mesmo que se poderia aplicar ao caso Fleury: o processo de distensão que se iniciava naquele ano (1976) só seria aceito por certas facções radicais se determinados líderes de antes de 1964 não mais estivessem em cena. Em menos de dez meses morreram JK, Jango e Lacerda – sobre cuja morte já ouvi complicada e inacreditável história de uma injeção que teria sido trocada na casa de saúde onde o ex-governador morreu – um pouco apressadamente, é bom que se diga."
Creio agora que coloquei, em lances sumários, a dúvida e a dívida que me acompanham há tempos. Dúvida de tudo, dívida para com a memória de Max Costa Santos, que me implorou (literalmente, foi na base da imploração, de tal

forma estava ele certo da sua verdade) melhor apuração dos fatos. Não iria dar uma de Sherlock de subúrbio em busca de pistas mais ou menos fantasmagóricas. Não gosto da função nem sou pago para exercê-la. De qualquer forma, dou conta do recado e aí está a minha modesta contribuição à confusão geral.

Quanto à morte de JK, configurada a hipótese do acidente forjado, restaria saber como fora ele atraído àquela cilada. O que se sabe é pouco. Tal como ocorreu com outros líderes caídos então em desgraça, JK recebera contatos de segundo ou terceiro escalões no sentido de conversar sobre a possibilidade de serem recuperados o mais breve possível à vida nacional. No caso de JK, foram marcados locais e datas sucessivamente adiados, até que teriam acertado o encontro num restaurante à beira da estrada Rio–São Paulo. Em meu livro sobre os últimos anos de JK (*Memorial do exílio*), fiz referência a esse fato da forma sumária que me competia, à falta de documentação mais explícita: "No início de agosto (de 1976), o estranho recado de um militar cujo primeiro nome é Rosalvo. Depois de identificar-se, o oficial diz que a qualquer momento JK será chamado para manter contato com membros do governo; Juscelino não crê nessa possibilidade, embora conheça os problemas que o presidente Ernesto Geisel está atravessando. Esboça-se, abertamente, um confronto entre a linha do governo Geisel e a do ministro da Guerra, Sylvio Frota. As simpatias de JK são para a causa de Geisel, a quem envia um exemplar de suas memórias.[7]

Em tempo: quanto ao pedido de exumação do corpo de João Goulart, tenho motivos para descrer desse ritual macabro: 1º) Embora tecnicamente seja possível, fica difícil detectar a *causa mortis* depois de tantos anos. Além do mais, os laudos costumam ser manipulados. A menos que um dos culpados (se há culpados nessas mortes) tenha problemas de consciência (ainda os há, apesar de tudo) e venha a público contar o que sabe. Ou, numa briga interna entre os remanescentes da repressão, um deles, por vingança ou ressentimento, denuncie publicamente a conspiração. Apurada a veracidade da denúncia, teríamos então um fato realmente novo. Caso contrário, conviveremos com a dúvida pessoal ou a certeza oficial.

2º) Há que levar em conta, acima de tudo, a vontade e o interesse da família envolvida. Esposa e filhos estão vivos e ninguém terá o direito de provocar uma lágrima a mais neles – que tanto já choraram e tanto já sofreram.

---

*

Tive enterro de terceira classe quando fui demitido. Pagaram-me tudo o que a lei prescreve, sem acréscimos pelos serviços e extras durante mais de dez anos, mas sem os descontos que poderiam alegar, uma vez que minha insistência poderia ter dado motivo a que invocassem a "justa causa" para meu afastamento, o que desobrigaria a empresa de indenizações prescritas pela legislação trabalhista.

Mas eu me tornara marcado. Foi então que tive um encontro casual com o mesmo homem da *Manchete* que no dia do acidente com JK, na calçada do Instituto Médico Legal, me relatara o que se passara lá dentro.

O autor da matéria publicada na *Manchete* – matéria que deveria ter sido feita por mim – sabia que eu estava desempregado, vivendo de frilas esparsos e mal pagos, em revistas e jornais periféricos, ele próprio volta e meia me chamava para uma colaboração.

Ele havia surpreendido os amigos e conhecidos publicando um romance, e, no embalo, estava escrevendo outro, onde um dos personagens era um repórter que poderia ter sido inspirado por mim.

Não compreendo como essas coisas funcionam na ficção. Quando li seu romance – que fez questão de me mandar com dedicatória afetuosa –, notei que o personagem que ele inventara fora demitido porque insistia em fazer uma entrevista com uma vaca que encontrara, em Lins de Vasconcelos, vaca que, entre outras particularidades, falava e falava em francês. O repórter tinha muitos dos meus traços, inclusive minha obstinação pelos assuntos que me empolgavam, por mais fantásticos que fossem.

No meio da narrativa, ele faz o repórter, que está bebendo cerveja num boteco, reclamar da direção do jornal em que trabalhava.

– Veja – disse ele –, estou aqui na pior, sem dinheiro, sem futuro, bebendo cerveja num botequim sórdido, e com a melhor matéria no bolso!

*

O narrador do romance comenta:

– Todo repórter demitido tem no bolso a melhor matéria jamais escrita.

Entendi como estava sendo visto pelos colegas de profissão, inclusive por amigos como ele, que não era íntimo (não era íntimo de ninguém) mas sempre nos tratávamos bem, era dos poucos que, apesar da fossa que eu atravessava, ainda me distinguia, atendia meus telefonemas, respondia aos meus recados.

Bem, por sugestão de Verônica, comprei um arquivo de aço, depois, ela me deu um outro – eu já estava mal de dinheiro e aceitava qualquer tipo de ajuda. E não comprei nem deixei que ela me comprasse outro porque me faltava espaço e dinheiro na quitinete alugada na Glória – e havia ironia quando me perguntavam onde eu morava e eu era obrigado a dizer a verdade:

– Na Glória.

Capítulo 6

Verônica olhou em volta, examinando a quitinete empoeirada, cheirando a mofo. Nas últimas semanas, ela não fora aberta nem usada. O Repórter internara-se num hospital do Estado, não mais tinha plano de saúde, conseguira contudo um bom quarto, mesmo assim, não fora de todo abandonado, um ou outro colega ainda se virava por ele, inclusive o jornalista da Manchete, *que conhecia um oficial de gabinete do governador de estado e assim arranjara o que pudera de melhor.*

Ela também não pisava naquela quitinete desde que o companheiro se internara. Curiosamente, não mais estranhava a desordem, o caos em que o Repórter vivia. Sempre que podia, em suas idas à quitinete, ela procurava ordenar o que era possível, dava uma geral em tudo, mas pouco adiantava – dois, três dias depois, quando ali voltava, o caos parecia maior.

Agora não. Com a chave que ele lhe dera pouco antes de morrer, olhava aquilo tudo, papéis, recortes, jornais, revistas, cassetes, pastas estouradas pelo volume de documentos que guardava, tudo isso, que formara realmente um caos, parecia agora ordenado por uma presença que, na realidade, era a definitiva ausência dele.

O que faria com aquilo tudo? A família jamais aceitaria aqueles escombros, nenhum jornal, nenhuma editora aceitaria examinar o labirinto de pistas, depoimentos, laudos, recortes de toda espécie, num amontoado sem nexo que revelava a confusão mental em que ele vivia nos últimos anos, com dinheiro incerto, vivendo de bicos que alguns colegas arranjavam, mais por caridade do que real necessidade dos seus serviços.

O editor de um segundo caderno encomendara ao Repórter uma pesquisa sobre os golfinhos da baía de Guanabara, golfinhos que constam do escudo oficial da cidade do Rio Janeiro, mas ausentes, há mais de um século, das águas que a cercam. Não podia haver matéria mais estranha ao gosto e ao conhecimento do Repórter, mesmo assim ele fez o que pôde, entregou-a dentro do prazo, recebeu o pequeno cachê quase simbólico – e nunca viu a matéria publicada.

Verônica afastou uma pilha de jornais velhos de uma poltrona desbotada, sentou-se, olhou mais e melhor aquilo tudo, que era o que restava dele, do homem que respeitara e, acima de tudo, admirara.

Pelo que conhecia de diversos textos esparsos que o Repórter volta e meia lhe dava para ler, ela sabia que havia uma ordem infernal naquele delírio a que se entregara, como se buscasse o elixir da imortalidade, a espada de Excalibur, o Santo Graal da Távola Redonda. Ela própria sentia remorso por não ter levado o Repórter a sério, na verdade admirara e respeitara o homem que lutava para continuar sendo o que era, mas sem entrar no mérito de sua causa. Se o mundo foi contra ele, ele foi contra o mundo – era o que sempre dizia, já nos momentos de exaltação provocados pela doença que o mataria.

Pelos trechos que já lera no passado, ela teve curiosidade em conhecer aonde aquilo tudo levaria o Repórter. Mas as folhas e pastas não tinham catalogação, nem mesmo uma numeração lógica.

"Por onde ele teria começado?", pensou ela.

Evidente que o começo de tudo fora aquela conversa na calçada do Instituto Médico Legal, no dia 22 de agosto de 1976, com o colega que conseguira entrar lá e estranhara a presença de um homem ligadíssimo ao regime militar, que ali estava para ajudar a família Kubitschek e, de quebra, para transmitir ao governo os detalhes do acidente e as providências que a família deveria tomar.

Depois, no enterro de Carlos Lacerda e em lances sucessivos, ele apenas sentia que tinha um bom assunto, e mais do que isso, uma possível colaboração à história do seu tempo.

Procurando dar uma lógica ao que não tinha lógica, ela se levantou, foi a um dos arquivos de aço. No primeiro havia uma espécie de roteiro, a folha datilografada revelava que o Repórter ainda não dominava o computador, do qual se servia apenas como editor de texto.

Neste roteiro, numa anotação antiga, provavelmente do início de sua pesquisa, encontrou duas fitas cassetes amarradas a uma pasta de plástico transparente. Era um dos pontos de partida de sua investigação, quando pensava que seu trabalho poderia interessar à mídia, a alguma editora. Tinha uma etiqueta que estava quase descolada da pasta: "Perito Sérgio Leite".

Mais tarde, na confusão em que caíra, o Repórter nem mais se preocupava em indicar o conteúdo de cada pasta ou de cada pilha de documentos espalhados nos arquivos e por todos os cantos da quitinete.

Verônica apanhou a pasta, estava empoeirada, como tudo o mais. Folheou aqui e ali e concluiu, realmente, que procurando uma seqüência lógica, uma ordem aos fatos e suspeitas, ele começara pelo princípio, a primeira das mortes, cujo inquérito oficial já estava encerrado, dando como acidental a morte do ex-presidente.

Sérgio Leite fora o perito que fizera o parecer que prevaleceria, tanto na fase policial como na judicial, no inquérito e processo abertos para apurar as causas do acidente na Rio–São Paulo.

Ela hesitou se devia mesmo ler alguma coisa daquela papelada. No fundo, não tinha qualquer interesse naquilo tudo, nunca perdera um minuto pensando no caso, se JK sofrera um atentado ou acidente.

Contudo, ela sentiu que não haveria homenagem melhor ao companheiro sacrificado pelo seu assunto do que se interessar minimamente por ele. Os judeus nas sinagogas cantam o Kol Nidrei *no Dia do Perdão. Os católicos evitam comer carne na quaresma. O pessoal do candomblé oferece aos guias espirituais farofa e charutos – cada um tenta, a seu modo, chegar à verdade possível.*

E a verdade do Repórter começava com duas ou três entrevistas com o perito cujo laudo definiria oficialmente a morte de JK como acidental e não como um atentado político.

*

Do diário do repórter – novembro de 2002 – É a terceira vez que entrevisto o perito Sérgio Leite. Na primeira, quando ainda trabalhava no jornal, ele foi gentil, forneceu-me os estudos e croquis feitos na estrada Rio–São Paulo, fotos da pavimentação das pistas mostrando a freagem do Opala e da carreta que vinha em sentido contrário. Foi o depoimento mais importante para os elementos que formaram a minha primeira matéria sobre o caso.

Fisicamente, o perito se parece com o governador Mário Covas, é até mesmo extraordinária a semelhança. Formou-se em engenharia e é perito do Instituto de Criminalística do Rio de Janeiro.

Foi dele o laudo que, até agora, está servindo para determinar as causas do acidente, e sua conclusão até hoje não foi contestada tecnicamente. Não se encaixa, contudo, na teoria conspiratória que cresceu paralelamente, uma vez que o contexto da época e fortes indícios apontavam para um atentado cuja finalidade era a de limpar o terreno para a abertura política que estava sendo conduzida pelo presidente Geisel.

Mais tarde, voltarei ao assunto, a este complexo de circunstâncias que tramavam a eliminação de JK e dos outros membros da Frente Ampla (Jango e Lacerda). Ao lhe pedir pela terceira vez a entrevista, ele perguntou para que jornal eu estava trabalhando. Disse-lhe a verdade: para nenhum órgão da mídia, fazia a pesquisa em caráter pessoal; conforme o que apurasse, poderia publicar um livro, mas sequer tinha uma editora comprometida com meu projeto. Até mesmo no jornal em que havia trabalhado teria dificuldade de emplacar a matéria.

Sérgio Leite recebeu-me duas vezes na mesma semana, gravei seu depoimento em fitas cassetes, passei esta noite ouvindo o que gravara com ele. Dispondo agora de outros elementos, outras gravações e revelações esparsas que volta e meia aparecem na imprensa, achei necessário fazer uma espécie de sumário do caso a partir de sua participação na perícia oficial do desastre.

Ele continua reafirmando as conclusões que constam do seu relatório, nada de novo surgiu após a redação do mesmo, apesar de ter sido formada uma comissão na Câmara dos Deputados para apurar as suspeitas levantadas sobretudo por Serafim Jardim, pessoa bem conceituada e ligada por parentesco à família Kubitschek.

Em 2000, duas versões foram apresentadas e analisadas pela comissão presidida pelo deputado Paulo Octavio Pereira.

A primeira das duas hipóteses é a de uma bomba que teria explodido dentro do Opala em que JK viajava. A segunda seria a de um atirador de elite que, à margem da estrada, naquele trecho da Rio–São Paulo, teria alvejado o motorista Geraldo Ribeiro na cabeça, provocando o acidente fatal.

As duas hipóteses não se sustentaram, peritos de diversas procedências negaram a existência de resíduos de explosivos na carcaça do carro, que teria sido exaustivamente examinada. Quanto ao motorista, que teria sido atingido na cabeça por um tiro, foi pedida a exumação de seu corpo e os exames cadavéricos mostraram que não havia furo algum no seu crânio, apenas um prego enferrujado do caixão que se misturara à ossada.

Assim sendo, voltou a prevalecer o laudo anterior. Baseado em outros depoimentos, levantei algumas objeções periféricas, discutindo-as lealmente com o perito.

Antes de mais nada, aleguei o óbvio: não interessava ao governo militar admitir um atentado contra JK, viesse de onde viesse. Sérgio Leite levaria suas pesquisas objetivamente, limitando-se ao acidente em si, às provas técnicas que até hoje não foram contestadas no essencial. Não lhe competia, funcionalmente, ampliar sua perícia para o conjunto de circunstâncias políticas que cercaram o episódio.

Na entrevista que me concedeu, após o término dos trabalhos da comissão da Câmara dos Deputados, ele revelou que, primeiramente, fora feito um laudo do acidente por dois peritos da delegacia de Resende, laudo bastante sucinto, uma vez que não houve tempo nem recursos de infra-estrutura técnica para um trabalho mais completo.

Foi então convocado pelo diretor do Instituto de Criminalística o delegado Roberto Freitas Vilarinho, para periciar o acidente, tendo ele, em seu currículo profissional, centenas de casos com acidentes em estradas.

Ao começar o trabalho, ficou sabendo que, antes dele, uma perícia oficiosa havia sido feita por militares ligados aos órgãos de informação e segurança, a qual não seria revelada publicamente mas que serviria de ponto de partida para a perícia oficial do Instituto de Criminalística, formando o contexto em que o acidente se encaixaria.

Os antecedentes próximos do desastre foram levantados por esse grupo de militares, cabendo a Sérgio Leite a perícia do acidente em si, do ponto de vista técnico. De acordo com o laudo elaborado pelos militares e policiais dos serviços de inteligência do governo, o Opala em que JK viajava teria feito uma parada no hotel-fazenda Vilaforte, poucos quilômetros antes do local do acidente. Muito se especularia sobre essa parada, havendo versões de que o ex-presidente dela se utilizava para encontros com sua amante, Lúcia Pedroso, pivô da crise conjugal que afastara JK de dona Sarah e do Rio de Janeiro.

No dia 22 de agosto, ele teria combinado um novo encontro com Lúcia, a mais de 100 quilômetros do Rio, e mantido surpreendente sigilo a respeito, não o revelando nem mesmo a seus amigos mais íntimos, como os primos Carlos Murilo Felício dos Santos, em cuja casa dormira na noite de 19 de agosto; e Ildeu de Oliveira, a quem pedira Cr$ 10.000 emprestados para a viagem até a capital paulista. Nada revelara também a Adolpho Bloch, em cuja casa, em São Paulo, dormiria as duas últimas noites de sua vida.

O caso com Lúcia Pedroso era do conhecimento geral da família e do círculo mais chegado ao ex-presidente. Durante a ligação, que vinha de anos, os dois se encontravam em diversos lugares, no Rio mesmo, em Paris, em outras cidades no exterior, na casa de campo de amigos e na própria casa de Lúcia, em Ipanema.

A parada no hotel-fazenda Vilaforte para o encontro com a amante teria sido o motivo para a estranha viagem de JK ao Rio, apesar de ter no bolso o bilhete de volta para Brasília. Real ou inventada pelos militares que fizeram a investigação sigilosa, a parada serviria de pressão contra dona Sarah, impedindo-a de aprofundar as causas da morte do marido. Caso contrário, teria de aceitar publicamente a realidade da ligação de seu marido com a rival.

Sérgio Leite admitiu que não lhe competia investigar o laudo dos militares. Não lhe cabia, realmente, saber se JK parara ou não no hotel-fazenda. Ele não era um detetive, mas um perito em acidentes automobilísticos. Disse, textualmente, na entrevista que com ele gravei: "*... quando nós chegamos* *lá, existia uma indicação de que ele parou ali para encontrar uma senhora. Eu não me meti nisso (...) Aquela fazenda, o dono ou o pai do dono, era oficial do Exército. Antes de acontecer isso, com certeza absoluta, esse depoimento foi dado, pelo menos informalmente, de que já tinha estado ali com essa senhora. No dia, eles disseram que eles teriam estado. Houve por parte de nós todos (os peritos do Instituto de Criminalística, entre os quais o próprio Sérgio Leite) o consenso: por que vamos nos meter na vida sexual particular de alguém?"*

A partir desta parada, que teria durado cerca de uma hora, os peritos civis cronometraram a velocidade do carro de JK e do ônibus da Cometa que teria dado um raspão na carroceria do Opala, raspão que deixaria marcas no pára-lama, que pode ser examinado até hoje, com o pequeno sulco, sujo da tinta do coletivo. Evidente que não há dúvida possível sobre a mecânica do desastre em si; Sérgio Leite é técnico competente e sua descrição do acidente não pode ser negada a não ser que, como já anotei diversas vezes, apareça um fato realmente novo.

Contudo, ao admitir a parada no hotel-fazenda, o perito estava se submetendo à lei do mais forte. Qualquer que fosse o laudo, ele teria de adaptá-lo ao laudo anterior feito pelos militares, que concluíram pela parada de JK no hotel-fazenda para encontrar a amante.

Este encontro, porém, não houve, embora pudesse ter havido a parada. Lúcia Pedroso o negou, em entrevista igualmente gravada, dizendo que esperava JK em seu apartamento, entre 17h30 e 18 horas daquele domingo. O tempo chuvoso e o almoço em São Paulo, na casa do deputado Adhemar de Barros Filho, atrasariam sua chegada.

Mas a verdade é que JK não estava vindo ao Rio de forma clandestina para encontrar-se com Lúcia. Ele tinha um almoço marcado às 13 horas do dia seguinte com Adriano Moreira, ex-ministro em Portugal e advogado de Fernanda Pires de Melo, empresária exilada no Brasil pela Revolução dos Cravos, de 1974, em Portugal. Disso eu já sabia e teria a certeza um mês depois, quando Carlos Heitor Cony me cedeu a carta assinada pelo próprio Adriano – no texto, ele confirma o encontro agendado com JK no dia seguinte (ver carta no anexo). Fernanda formara uma companhia para construir um conjunto hoteleiro em Tróia, vizinha de Setúbal, a 100 quilômetros de Lisboa, colocando JK, então exilado em Portugal, como presidente de honra da empresa, da qual também fazia parte o ex-embaixador Hugo Gouthier.

Os dois sócios brasileiros de Fernanda nada tinham a ver com os hotéis, não exerciam funções executivas nem consultivas, limitaram-se a dar seus nomes ao empreendimento de uma empresária dinâmica que caíra em desgraça no período mais agudo da Revolução dos Cravos.

Havia um processo correndo em Lisboa contra Fernanda e seus sócios. E o ex-ministro Adriano Moreira, que mantinha a distância seu escritório de advocacia na capital portuguesa, cuidava da parte relativa a JK, de quem era amigo particular. O assunto era mantido em segredo pelo ex-presidente e pelo advogado,

Era mais que lógica a cautela de JK em manter sigiloso o problema com o regime que se instalara em Portugal. Ele acabava de reassumir seus direitos políticos, cassados em 1964. Os diversos processos e IPMs a que respondera no Brasil estavam arquivados, por falta de provas e pela competência de seu advogado, Victor Nunes Leal.

Vindo a público sua relação com um empreendimento imobiliário em Portugal que estava sendo investigado pelos militares da Revolução dos Cravos, seus adversários teriam um novo pretexto para acusá-lo de ser a 7ª fortuna do mundo, um especulador sempre envolvido em negócios duvidosos. Daí o cuidado em manter em segredo o processo em Portugal, que o atingia obliquamente (o alvo era sua amiga, a empresária Fernanda Pires de Melo, que na ocasião estava tendo uma relação com Negrão de Lima, ex-prefeito do Rio, ex-governador da Guanabara, ex-ministro da Justiça e das Relações Exteriores, ex-embaixador em Portugal).

A situação financeira de JK começava a sentir os efeitos do patrulhamento que o perseguia desde 64. Comprara a fazendinha em Luziânia com empréstimos bancários, e ficara sem recursos para os investimentos de implantação, sobretudo no que dizia respeito à importação dos fertilizantes que preparassem a aridez do cerrado para uma produção auto-sustentável.

Tendo agendado o almoço com Adriano Moreira na segunda-feira, dia 23 de agosto, ele preferira despistar, evitando chegar ao aeroporto do Galeão ou do Santos Dumont, onde seria facilmente reconhecido e teria sua presença no Rio divulgada pelos jornais, com dona Sarah dela tomando conhecimento (ver, nos anexos, p.265, carta de Adriano Moreira).

A situação do casal chegara a um ponto crítico, e JK temia que a mulher entrasse com um pedido de desquite (não havia divórcio ainda no Brasil), desquite que JK queria evitar a todo custo, por diversos motivos, entre os quais, o da esperança de ainda ser convocado para uma solução civil no processo de abertura promovido pelo general Geisel.

Este papel, o de sucessor civil dos presidentes militares, seria exercido bem mais tarde, em 1985, por Tancredo Neves, que, curiosamente, adoeceria na véspera de sua posse e morreria dias antes de assumir a presidência da República.

Os militares do governo já se dividiam em duas linhas: a linha moderada, sob a liderança de Geisel e Golbery, e a linha dura, a dos gorilas, que insistiam em manter a tensão de 1964 e 1968. Haveria condições para os militares mais moderados, que dois anos depois, em 1978, afastariam o general Sylvio Frota da corrida sucessória,[8] aceitarem JK como solução civil, uma vez que os processos contra ele estavam arquivados e seu comportamento político não criara arestas com o regime.

Após a tentativa da Frente Ampla, que não foi uma conspiração mas um movimento público, ele se resignara a cumprir o ostracismo de forma digna, dedicando-se basicamente à redação de suas memórias.

A perícia de Sérgio Leite continua indestrutível, a menos que apareçam testemunhas ou fatos realmente novos. E por se tratar de documento técnico, sem levar em conta os antecedentes e as circunstâncias nacionais e internacionais de uma época polarizada entre o capitalismo e o socialismo, com a necessidade que ambos os lados tinham de "limpar o terreno", o laudo continua valendo, apesar da possibilidade de contestação de um ou outro pormenor técnico.

Detalhes do Opala e do ônibus da Cometa, condições da estrada, a mecânica do acidente em si, as zonas de freagem, a cronometragem dos impactos, o depoimento de testemunhas confiáveis ou não, tudo isso é analisado pelo perito de forma técnica e não pode ser contestado por leigos que não tiveram acesso ao local e aos momentos imediatamente seguintes ao desastre.

Ao absorver a parada no hotel-fazenda Vilaforte e o encontro sigiloso de JK com sua amante, o laudo do perito serviu maravilhosamente ao regime militar, interessado em colocar o mais depressa possível uma pedra sobre o assunto, evitando explorações e, acima de tudo, evitando que a morte de JK integrasse um cenário que começava a se esboçar, com o desaparecimento de outros líderes democráticos em países dominados por militares da extrema-direita, como Chile, Argentina e Grécia.[9]

Outro detalhe do laudo de Sérgio Leite que merece comentário é a referência às duas paradas de JK na estrada – a primeira, no Km 2 da Rio–São Paulo; a segunda, no hotel-fazenda, pouco antes do local do desastre.

A ser verdadeira a parada no hotel-fazenda (que já constava anteriormente no laudo sigiloso elaborado por militares dos serviços de inteligência e informação do governo), teria havido uma única parada, uma vez que não chegou a haver outra no Km 2, onde JK apenas trocou de carro, deixando o Alfa-Romeo da *Manchete*, que estava à sua disposição desde a manhã daquele dia, e seguindo no Opala dirigido por Geraldo Ribeiro, que o esperava num posto de gasolina no início daquela rodovia.

O laudo do perito ateve-se exclusivamente aos poucos metros da rodovia em que o acidente se iniciou, até o ponto de resolução, em que o Opala se imobilizou, do lado de fora da pista, em sentido contrário. O que quer que tenha acontecido na pista que levava ao Rio, a posição e a velocidade do Opala, do ônibus e de um terceiro carro referido por algumas testemunhas, não teria provocado o acidente mortal se não fosse o choque do Opala com a carreta que se dirigia para São Paulo. Nem mesmo 20 computadores da última geração, em rede, poderiam programar aquele impacto.

Por questão de centímetros e segundos...

Capítulo 7

Aquele registro do diário do Repórter parava ali. Verônica olhou o verso da folha para ver se havia alguma continuação. Fora interrompido por quê? Por algum telefonema ou pela necessidade de cumprir algum compromisso? Um pouco improvável, nos últimos tempos ninguém lhe telefonava, não tinha compromissos com ninguém da mesma forma que ninguém tinha compromissos com ele.

Fechou a pasta, estava cansada. Gostaria de começar a arrumar aquele caos, mas seria isso que ele queria ao lhe dar a chave da quitinete? A alternativa era mais lógica: destruir aquele caos, para que não houvesse memória de seu fracasso.

Sim, destruiria tudo, mas estava realmente exausta e deixaria para mais tarde a cremação daqueles ossos inconseqüentes.

No dia seguinte, porém, leu uma resenha do livro do jornalista Elio Gaspari, A ditadura envergonhada. *Em nenhum momento o Repórter registrara a leitura desse livro, publicado no final de 2002. Por curiosidade, talvez por solidariedade ao amante morto, Verônica comprou o livro. E, logo no início da leitura, ficou impressionada com um detalhe que teria sido revelador para as pesquisas do Repórter.*

Elio Gaspari começa seu livro sobre a Revolução de 64 com uma data bem posterior ao golpe militar: 12 de outubro de 1977, ou seja, 13 anos depois. Neste mesmo ano, em maio, morrera Carlos Lacerda. O obstáculo mais dramático que o Repórter encontrara em suas pesquisas foi justificar seu interesse em desvendar as três mortes ocorridas em 76 e 77. "O assunto é velho. Ninguém mais está interessado em esqueletos do armário. O regime está estabilizado e não há perigo nenhum de retrocesso."

Na introdução de A ditadura envergonhada, *é narrado o episódio da demissão do general Sylvio Frota, então ministro do Exército, que articulava um golpe militar para depor o presidente*

Geisel. Um sinal mais do que evidente de que a linha dura do Regime não aceitaria qualquer tipo de distensão política (ver, nos anexos, p. 266, trechos do livro *A ditadura envergonhada*, de Elio Gaspari).

*

Se em 1977, mais de um ano após a morte de JK, e meses depois da morte de Lacerda, havia conspirações que visavam à deposição do presidente da República, um general respeitável e que se fazia respeitar, nada de mais que os mesmos radicais, com ou sem o apoio explícito do governo, iniciassem por conta própria a limpeza do terreno que afastaria, para sempre, a possibilidade de um retorno dos subversivos e corruptos contra os quais fora articulado e operado o movimento militar de 64.

Verônica sabia que o Repórter, inicialmente, julgara difícil colocar a morte de Lacerda no contexto das outras duas. Ao morrerem, JK e Jango, cassados em 64, já haviam cumprido os 10 anos da suspensão de seus direitos políticos. E a cassação dos mandatos, o de presidente no caso de Jango, e o de senador no caso de JK, era irreversível, sem direito a qualquer apelação.

Com Lacerda, a situação era diferente e a preocupação mais lógica. Antigo aliado dos militares e líder absoluto do anticomunismo, as duas principais forças que haviam desfechado o golpe de 64, Lacerda era temido pela capacidade de agitar a opinião pública a favor de suas causas. Em depoimento ao *Jornal da Tarde*, em março de 77, fora evasivo ao responder se tinha algum projeto político para depois de terminado o prazo de sua punição. "Eu não tenho a menor idéia", disse ele. "Qualquer coisa que eu dissesse nesse sentido seria um mero palpite. Primeiro, porque em 1979 eu estarei com 65 para 66 anos de idade. Evidentemente, não é a idade para sair e acho que também não é a idade para entrar na carreira política."

E mais adiante: "Não gosto de política. Gosto é do poder; política para mim é um meio de chegar ao poder."

Verônica também lembrou uma passagem do diário que o Repórter escrevia, intermitentemente. Ele estava na missa de sétimo dia de Lacerda, na Candelária, quando escutou José Cândido Moreira de Souza, um dos amigos mais próximos do ex-governador, dizer para alguém: "Puxa, esses milicos se livraram de boa, porque se o Carlos não tivesse morrido, ano que vem, eles iam ver o que era bom."

Nesse "ano que vem", ou seja, 1978, Lacerda teria cumprido os 10 anos de suspensão de seus direitos políticos, e poderia participar do debate nacional e ser candidato a qualquer cargo eletivo.

Descontada a hipótese de sua candidatura presidencial – o cargo continuaria com os militares –, a hipótese de ter Lacerda no Congresso, como deputado ou senador, fazia tremer as bases que sustentavam a ditadura.

Capítulo 8

Do diário do repórter – novembro de 2002 – Da morte e do enterro de Carlos Lacerda, em maio de 1977, até hoje, foram raras as insinuações de que o ex-governador da Guanabara teria sido alvo de um atentado na Clínica São Vicente. Eu próprio, o mais insistente no assunto, desanimei de entrar em seara tão delicada. Ao contrário dos casos de JK e Jango, que repercutiram intensamente no Brasil e no exterior, que foram objeto de comissões na Câmara dos Deputados, a morte de Lacerda foi considerada natural e apenas uns tresloucados, como eu, insistiam em levar adiante a hipótese de que a morte dos três líderes da Frente Ampla fosse a maquinação infernal dos serviços de inteligência do Brasil, da Argentina e do Uruguai, apoiados logística e financeiramente pela CIA e FBI, juntos ou separadamente. A CIA em âmbito internacional, com agentes espalhados em todos os países. O FBI no âmbito doméstico dos Estados Unidos, muitas vezes sob o pretexto de dar segurança a possíveis vítimas de atentados políticos. Nas muitas vezes em que pronunciou palestras nas universidades norte-americanas, JK era protegido (ou seguido) por elementos do FBI, o mesmo acontecendo com Orlando Letelier, ex-ministro do Chile, que foi assassinado em Washington.

Das três mortes que estou pesquisando, que já me fizeram perder o emprego e me desacreditaram no mercado, a mais nebulosa, apesar de ser a menos suspeita, foi a de Carlos Lacerda.

Foi com ele que tive mais contato, e até onde posso ter certeza de alguma coisa, sei que ele me estimava e eu, de certa forma, o admirava, e em muitos lances de sua vida pública cheguei a idolatrá-lo. Em 1964, quando Lacerda se entrincheirou no Palácio Guanabara e ficou esperando os fuzileiros navais comandados pelo almirante Cândido Aragão, que iam depô-lo e certamente assassiná-lo, passei dois dias e uma noite – a mais dramática que vivi – entre as 100, 150 pessoas que estavam dispostas a morrer em sua defesa.[10]

Tinha uma desculpa: era jornalista e estava cobrindo uma das frentes mais excitadas do Movimento Militar, que se iniciara em Juiz de Fora, crescera com a adesão das tropas vindas de São Paulo, e marchava em direção ao Rio para depor João Goulart, que estava no Palácio das Laranjeiras e, diante das circunstâncias, seguiu para Brasília, depois para Porto Alegre, finalmente para o exílio, no Uruguai.

Na realidade, como outros jornalistas destacados para aquela cobertura, eu poderia ter saído quando quisesse, com a necessidade (ou a desculpa) de dar um pulo na redação para adiantar minha matéria sobre o cerco ao Guanabara.

Mas fiquei, embora, naquela ocasião, mal conhecesse Lacerda pessoalmente. Mais tarde sim, dele recebi a maior oportunidade de minha vida, acompanhando-o a Montevidéu por ocasião de seu encontro com João Goulart.

Também tivera contato com o ex-presidente, bem menor, é verdade, mas suficiente para que o conhecesse bem. Cobri sua primeira viagem oficial aos Estados Unidos. E estive em seu apartamento, durante o encontro que selou sua participação na Frente Ampla.

O mais distante para mim seria Juscelino, com quem não tive nenhum contato pessoal, limitando-me a vê-lo duas ou três vezes em minha vida profissional, durante entrevistas coletivas ou cerimônias oficiais.

E justamente Lacerda, o mais íntimo, aquele que eu estimava pessoalmente e tinha motivos para pensar que a estima fosse recíproca, justamente Lacerda era agora o caso mais delicado e menos provável de ser um atentado político.

Cronologicamente fora a última morte, mas a primeira a provocar meu espanto pelas demais, sendo o ponto de partida não apenas para minha pesquisa, mas para tudo o que ela me traria de forma gradual: a imagem do jornalista de início entusiasmado com um assunto, progressivamente possuído pela idéia de que descobriu uma grande matéria, e por fim, perdendo o respeito profissional e logo em seguida o emprego, uma vez que começou a formular hipóteses consideradas delirantes.

Talvez pela minha aproximação com Lacerda, sua morte é mais difícil de ser encaixada numa teoria conspiratória. Paradoxalmente, ao contrário de JK e Jango, que nunca teriam sofrido nenhuma tentativa de atentado, Lacerda, por duas vezes, ao menos, esteve próximo da morte provocada por seus adversários e inimigos: em 1954, como jornalista que atacava o governo Vargas, sofreria o atentado da rua Toneleros, no qual perderia a vida o major da Aeronáutica, Rubens Tolentino Vaz, que lhe servia de guarda pessoal na noite de 5 de agosto. Lacerda sairia da emboscada com um ferimento no pé, após trocar tiros com os homens que o tocaiavam. O caso provocaria a crise que levaria Getúlio Vargas ao suicídio.

Quando governador da Guanabara, sofreu uma tentativa de seqüestro que, por pouco, não se consumou, quando ele se dirigia ao Leblon pela avenida Niemeyer. Isso sem falar na surra que sofreu quando era apenas um jornalista, sendo espancado ao sair da rádio Mayrink Veiga, após um programa em que atacara, com a violência de sempre, o general Ângelo Mendes de Morais, então prefeito do Distrito Federal.

Apesar dos atentados políticos no passado, sua morte, em maio de 1977, não provocaria suspeitas; pelo menos nenhuma insinuação fora feita sobre a rapidez do processo infeccioso que o levaria a morrer aos 63 anos, na Clínica São Vicente, quando seu médico principal, o Dr. Rebello, permanecia em Teresópolis e até mesmo seu filho mais velho, Sérgio Lacerda, havia viajado para um fim de semana fora do Rio.

Provavelmente, o médico pessoal, Dr. Rebello, faria nova avaliação na segunda-feira seguinte, absorvendo ou não a medicação de emergência deixada pelo Dr. Pedro Henrique Paiva, que fora chamado por Pedro Paulo Senna Madureira, diretor editorial da Nova Fronteira e amigo de Lacerda.

Eu próprio de nada desconfiei quando soube de sua morte, apesar de ter estado próximo em diversos momentos de sua vida pessoal e política.

As circunstâncias reveladas pela imprensa e pelos amigos de Lacerda não deixavam espaço para se suspeitar de um atentado naquela noite de passagem do dia 21 para 22 de maio de 1977, no quarto 201 da Clínica São Vicente.

No entanto, fiquei sabendo que o processo que levaria Lacerda à clínica e à morte esbarrava em alguns pontos não bem explicados, apesar de ele ter sido socorrido por médicos habilitados, inclusive pelo Dr. Rebello, que dele cuidava há anos:

1º) Quem assinara o atestado de óbito não fora o Dr. Rebello, mas o Dr. Pedro Henrique Paiva, baseado em informações clínicas do Dr. Marco Aurélio Pelon, o médico residente que estava de plantão na noite de sexta-feira para sábado.

2º) A própria internação de Lacerda não fora solicitada pelo seu médico particular, mas pelo Dr. Pedro Henrique Paiva, chamado pelo editor Pedro Paulo Senna Madureira, que estranhava a continuação dos sintomas que mantinham Lacerda em estado febril, com dores localizadas nas juntas.

Visitando o amigo e dono da editora em que trabalhava, Pedro Paulo pediu licença a Letícia, mulher de Lacerda, e ao filho mais velho, Sérgio, para trazer seu médico de confiança, que poderia dar uma segunda opinião sobre o caso.

O Dr. Rebello, naquela ocasião também adoentado, medicava seu cliente por telefone, uma vez que não suspeitava de nada sério no quadro clínico de Lacerda. Limitava-se a alterar a medicação ou as doses que prescrevera para os sintomas do estado febril, mas não para sua causa.

Como Lacerda não melhorasse, não houve resistência por parte de Letícia e Sérgio, muito menos por parte do próprio Lacerda, em aceitar a visita do Dr. Pedro Henrique, que não era conhecido da família nem a conhecia.

Numa noite do final de 2002, entrevistei o Dr. Pedro Henrique em sua casa, no Jardim Botânico, após indicação do Dr. Roberto Londres, dono da Clínica São Vicente, filho do fundador daquela instituição, Dr. Genival Londres, e seu principal diretor ao tempo em que Lacerda ali se internou.

Tanto Roberto Londres como Pedro Henrique receberam-me cordialmente e deixaram que eu gravasse seus depoimentos.

Também entrevistaria o Dr. Pelon, que estava de plantão naquela noite e que redigiria o atestado de óbito de Lacerda, mencionando as causas que teriam provocado o desenlace.

Como disse, gravei todos os depoimentos, e aos poucos estou transcrevendo todos eles. Irei cruzá-los para obter um quadro geral sobre o real estado de saúde de Lacerda nos dias que antecederam sua morte.

Por ora, e para não perder a meada que julgo importante, quero registrar a informação do Dr. Londres, confirmada pelo Dr. Pedro Henrique e até mesmo pelo Dr. Pelon, este com uma restrição marginal. O andar em que se situava o quarto de Lacerda estava sob a responsabilidade da enfermeira Maria Auxiliadora, portuguesa desinibida, que durante anos trabalhara para a Pide (Polícia Internacional de Defesa do Estado) e aqui se encontrava exilada, como outros portugueses que de alguma forma haviam se beneficiado ou participado do governo totalitário de Oliveira Salazar e prolongado por Marcelo Caetano, que sucedera ao velho ditador.

Ao notar que Carlos Lacerda, de um quadro com diagnóstico não definido mas sem inspirar cuidados, começava a piorar, e entrava em situação de risco, a enfermeira Maria Auxiliadora comentou com o Dr. Londres: "Já vi muito disso em Portugal, nos tempos da Pide."

Com esses elementos, perguntei ao Dr. Pedro Henrique se era provável um envenenamento ou troca proposital de medicamentos. Em tese, sempre é possível haver um acidente ou crime dessa natureza. Não faz muito, os jornais revelaram que um enfermeiro, num dos hospitais do Rio, matara diversos doentes que ele julgava em estado terminal, aplicando-lhes uma injeção de cloreto de potássio. O caso foi classificado pela imprensa como "Os crimes do Anjo da Morte".

Contudo, seria difícil, pelas circunstâncias que envolveram a morte de Lacerda, alguém da clínica, ou mesmo de fora, ministrar qualquer tipo de medicação letal no paciente.

Mas havia a possibilidade de o agravamento de Lacerda haver tido origem dias antes, no período anterior ao da internação. O quadro final de septicemia apresentado pelo paciente não se justificaria pelos simples sintomas de um estado febril moderado, dores nas juntas e irritabilidade, provocados por uma gripe ou uma virose desconhecida, agravada pela diabetes que já fora diagnosticada.

A septicemia, como já registrei, é uma doença que não vem de dentro do organismo, mas de fora, daí a necessidade de descobrir a "porta de entrada", por onde a infecção penetrou no organismo.

Nos diversos exames a que Lacerda já fora submetido, aparecera apenas um pequeno ferimento numa de suas mãos, provocado semanas antes pelo espinho de uma das roseiras que o ex-governador cultivava em seu sítio, no Rocio.

Ora, para obter por este modo o envenenamento da vítima, o autor ou autores do atentado teriam de infectar todas as roseiras do Rocio – o que seria improvável, até mesmo absurdo, além de antipoético: envenenar roseiras para eliminar o homem que as cultivava.

Nos dias que antecederam à febre e às dores nas juntas, Lacerda locomovera-se livremente pela cidade, trabalhando na editora e acompanhando a impressão de um álbum de "Dom Quixote" em quadrinhos, no estilo gráfico de uma fotonovela, material que ele comprara de uma editora espanhola e programara lançar em versão portuguesa.

Fato estranhíssimo, porém, ocorreu no dia 15 de maio de 1977, uma semana antes de sua morte. Datada do Rocio, Lacerda escrevera uma carta ao crítico literário da *Folha de S.Paulo*, Nogueira Moutinho, agradecendo a crítica, publicada naquele mesmo dia, sobre o livro *A casa do meu avô*. O texto da carta é longo e termina com um convite para que Moutinho o procurasse em uma de suas vindas ao Rio, quando "acenderia a lareira" para conversarem sobre seus projetos literários. Ditada ou escrita pessoalmente a máquina pelo autor, a carta revela absoluta lucidez, nenhuma depressão – pelo contrário, expressa a vontade de escrever outros livros. Contudo, ele não assinaria a carta. Quem a assinou foi sua secretária, Maria do Carmo Evangelista, que trabalhava na Nova Fronteira e teria ido ao Rocio naquele dia para despachar com o chefe.

Após a assinatura, em adendo escrito a mão, a secretária Maria do Carmo pede desculpas ao destinatário por Lacerda não ter podido assinar a carta, "por causa de seu estado de saúde" (ver, nos anexos, p. 269, fac-símile da carta).

É lícita a especulação: como um homem de posse de todas as suas faculdades, capaz de escrever um texto como sempre brilhante, deixa de assiná-lo "por causa de seu estado de saúde"? Uma fraqueza, uma impossibilidade física, a confusão mental de que deu provas quando, uma semana depois, foi internado na Clínica São Vicente, se impedissem a assinatura, teriam impedido a lucidez e o brilho do texto em si. A mão direita estaria afetada pelo ferimento provocado pelo espinho de uma roseira, que já teria evoluído para uma infecção, compondo um quadro de septicemia?

Ao voltar para o Rio, o ferimento na mão seria notado no exame sumário do paciente feito pelo médico chamado pelo diretor-editorial da Nova Fronteira e pelos familiares.

De qualquer forma, do dia 17 ao dia 22, quando morreu, o estado de saúde do ex-governador se deteriorou de tal forma que o Dr. Pedro Henrique aconselhou imediata internação. Ao chegar à Clínica São Vicente, ele já entrara em estado de choque, segundo se pode deduzir do prontuário feito na ocasião de sua internação. Funcionários da clínica, entre os quais Dalila Santos, em depoimento que me foi prestado, foram informados de que o ex-governador chegara morto.

O quadro de Lacerda era gravíssimo: pressão baixa, febre intermitente, dores nas articulações, agitação, confusão mental, pulso irregular, diabetes. O prontuário revela a existência de uma grave infecção, mas o atestado de óbito não a menciona. Vinte e cinco anos depois, em 2002, tanto o Dr. Pedro Henrique como o Dr. Pelon afirmam que o quadro era de septicemia. Apenas não fora detectada a "porta de entrada".

Durante algum tempo, sobretudo em países em que a repressão política era o braço menor da Guerra Fria, aconteceram casos de envenenamento por injeção aplicada abruptamente nas vítimas.

Um dos homens que trabalhava para o ex-jornalista Alexandre Baumgarten, o funcionário da Telerj Heráclito Faffe – que fazia grampos telefônicos com os quais Baumgarten podia chantagear a presidência da República e, sobretudo, a estrutura clandestina do próprio Serviço Nacional de Informações –, numa noite, ao se dirigir para seu carro, estacionado na avenida Vieira Souto, quase esquina com a rua Paul Redfern (onde Baumgarten morava), foi imprensado por dois desconhecidos que lhe aplicaram uma injeção por cima da roupa. O fato foi noticiado na imprensa e constou do complicado processo aberto com o posterior assassinato do ex-jornalista, que chantageava o SNI a fim de pressionar o governo a autorizar publicidade oficial na revista *O Cruzeiro*, comprada por ele e que estava longe de atingir a vendagem e o prestígio de sua fase gloriosa, quando integrava a rede dos Diários Associados.

Na ocasião, a revista *Fatos*, em seu nº 14, de 24 de junho de 1985, publicou matéria de capa sobre o assassinato de Baumgarten e de Faffe, ilustrando a morte deste último com uma reconstituição, mostrando como a vítima foi imprensada por dois desconhecidos, um pela frente, outro por trás, sendo-lhe aplicada então a injeção que o mataria dias depois.

Casos iguais, com a mesma mecânica, aconteceram no Brasil e em diversos outros países que atravessavam períodos de exceção, envolvendo grupos especializados na eliminação de suspeitos de tramar contra o Estado.

Lacerda, na ocasião de sua morte, e ao contrário de outros momentos de sua vida, não tramava contra o Estado, nem mesmo contra ninguém. Vivia normalmente, escrevia livros, entre os quais seu melhor trabalho literário, *A casa do meu avô*. No ano seguinte, em 1978, recuperaria seus direitos políticos, e ainda que não quisesse voltar à virulência com que defendia suas causas e atacava seus adversários, todos o temiam, reconhecendo seu colossal poder de destruição e de mobilização.

Um atentado, um esbarrão aparentemente casual que lhe infiltrasse qualquer substância, é uma hipótese difícil de ter ocorrido com ele, homem sangüíneo, de pavio curto, que logo reagiria. E, mesmo sem a violência de outros tempos, botaria a boca no mundo e todos ficariam sabendo.

Mas haveria a hipótese de o envenenamento por substância oral, epidérmica ou endovenosa, ter sido efetuado sem que ele percebesse, ou por estar dormindo ou relaxado, numa reunião social, ou mesmo antes de ser internado na clínica, quando lhe eram ministrados os remédios para debelar a gripe e os sedativos para diminuir as dores nas juntas.

O fato é que, ao ir para a Clínica São Vicente, por determinação do médico Pedro Henrique, e não pela iniciativa do Dr. Rebello, Lacerda já poderia estar com o fator endógeno que, horas depois, lhe provocaria a morte.

Esta hipótese, contudo, não exclui a possibilidade de a causa endógena ter sido administrada na própria clínica, por falha humana involuntária ou proposital. O histórico de hospitais em todo o mundo, mesmo os mais conceituados, revela casos de falhas humanas, casuais ou não, que provocaram a morte do paciente. Em momentos de crises políticas, econômicas e militares, algumas dessas falhas foram propositais, quando estavam em jogo sucessões de empresas, habilitações de heranças, alteração acionária de firmas, estratégias de estado-maior etc.

Somados todos os fatores que cercaram a morte de Lacerda, revela-se a espantosa coincidência com a morte de JK e Jango:

– foram anunciadas;

– ocorreram num *timing* lógico;

– no cenário internacional, houve mortes iguais;

– apesar dos numerosos indícios de uma limpeza do terreno político, deixaram rastros mas não deixaram provas.

Pelo menos até agora.

Capítulo 9

Do diário do repórter, 2000 – Coincidência ou não, foi nesta mesma ocasião que o *Jornal do Brasil* começou a publicar uma série de matérias sobre a Operação Condor, da qual eu já ouvira falar mas sem me ocupar com ela, pois o objeto de minhas pesquisas era a morte de JK, Jango e Lacerda. As revelações do *JB*, em sua maioria, limitavam-se ao desaparecimento de pessoas e grupos que praticavam ou ameaçavam praticar atos terroristas ou criar condições objetivas para a luta armada no Cone Sul, que transformasse a cordilheira dos Andes numa gigantesca Sierra Maestra – referência ao ponto de partida da Revolução Cubana, onde Fidel Castro, Che Guevara e Camilo Cienfuegos se fixaram para fazer a cabeça-de-ponte das incursões revolucionárias que só terminariam quando, depois de expulsarem Batista, os revoltosos ocupassem Havana.

Evidente que a cordilheira dos Andes seria apenas uma referência, uma metáfora, uma alegoria à comunização dos países da região do Cone Sul. Na realidade, os diversos movimentos contra as ditaduras atuavam em sua maior parte em zonas urbanas ou periféricas das grandes cidades, com exceção de duas tentativas mais organizadas, no vale da Ribeira e no Araguaia, ambas no Brasil, havendo até mesmo vasta bibliografia sobre as duas tentativas de luta armada.

A Operação Condor, tal como está sendo revelada agora – e diga-se de passagem, sem contestação –, limita-se a denunciar mortes, desaparecimentos, torturas e patrulhamentos de uma espécie de segunda unidade da Revolução pretendida, elementos do baixo clero, tanto da repressão como da subversão, militares de média patente, sargentos, policiais e alcagüetes de diversos tamanhos e feitios, que realmente fizeram um serviço simultâneo de limpeza do terreno, notadamente na Argentina, Uruguai, Paraguai, Brasil e Chile.

Num segundo movimento, a Operação Condor passou a limpar não apenas o terreno da subversão e do terrorismo, mas o próprio terreno, numa operação de queima de arquivo que atingiria a polícia e os serviços secretos dos três países. Este movimento cresceu de virulência quando ficaram evidentes os sinais de que os regimes militares, forçados pela conscientização liberal e pela pressão internacional, sobretudo a do governo de Jimmy Carter, teriam de promover a abertura política no continente.

Ora, a morte dos três líderes da Frente Ampla, no período de agosto de 1976 a maio de 1977, seria anterior em poucos meses ao recrudescimento dos movimentos contra as ditaduras e, em conseqüência, à repressão oficial da qual a Operação Condor era a expressão mais articulada e secreta.

O grande mérito da série de matérias do *Jornal do Brasil* foi ter provocado a formação de duas comissões externas da Câmara dos Deputados, uma para apurar as circunstâncias da morte de João Goulart, por iniciativa do deputado Miro Teixeira (PDT/RJ), elemento de destaque do partido cuja estrela é Leonel Brizola, cunhado de Jango. Outra, para investigar a morte de JK, solicitada pelo deputado Paulo Octavio Pereira (PFL/DF), casado com uma das netas do ex-presidente e em cumprimento a um pedido de sua sogra, Márcia Kubitschek, que se encontrava doente e viria a falecer pouco depois.

Eu continuava no Sul, ouvindo pessoas que, de uma forma ou outra, tiveram intimidade com João Goulart, antes de sua fulminante ascensão à vida pública nacional, ao governo e, finalmente, à queda e ao exílio. Mas acompanhei os trabalhos da comissão e tive acesso a seu relatório final.

Confesso que, tal como já registrei, no começo pouca importância dava às revelações publicadas pelo jornalista José Mitchell, que levantava pontualmente dezenas de mortes, desaparecimentos e torturas, não apenas porque os envolvidos, de um e de outro lado, não tinham peso político, como também a maioria dos casos era posterior ao período em que se verificaram as três mortes que me interessavam.

Mudei de opinião quando, numa das matérias do *Jornal do Brasil*, vi a reprodução de um ofício que pode ser considerado como a ata de fundação da Operação Condor (ver, nos anexos, p. 270):

Em papel timbrado da presidência da República do Chile, datado de 28 de agosto de 1975, quase um ano antes do primeiro caso de repercussão internacional, que foi o de JK, em 22 de agosto de 1976, o coronel Manuel Contreras Sepúlveda, diretor da Inteligência Nacional, escreveu uma carta ao chefe do Serviço Nacional de Informações, general João Batista de Oliveira Figueiredo, que mais tarde sucederia o general Ernesto Geisel na presidência da República:

Distinguido Senhor General:

Recebi seu informe de 21 de agosto de 1975 e agradeço a oportuna e precisa informação, expressando minha satisfação por sua colaboração que devemos estreitar ainda mais. Em resposta, cumpre-me comunicar-lhe o seguinte:

1) Compartilho sua preocupação com o possível triunfo do Partido Democrata americano nas próximas eleições presidenciais. Também temos conhecimento do reiterado apoio dos democratas a Kubitschek e Letelier, que no futuro poderia influenciar seriamente a estabilidade do Cone Sul do nosso hemisfério.

2) O plano proposto pelo senhor para coordenar nossa ação contra certas autoridades eclesiásticas e conhecidos

políticos social-democratas e democrata-cristãos da América Latina e da Europa conta com o nosso decidido apoio.
3) Sua informação sobre Guiana e Jamaica é de uma indubitável importância para essa direção.
Cremos ser do interesse para o senhor que comunico que ultimamente o governo do Chile tomou a decisão de liberar um grupo de presos que serão expulsos para países europeus. À medida que nos chegando a informação relativa à atividade política dos liberados e suas eventuais ligações com os exilados brasileiros, logo lhe transmitiremos.
Saudações atenciosas.

(a) Manuel Contreras Sepúlveda
Coronel-diretor de Inteligência Nacional[11]

Lembrei-me de outro fato: em 1978, Jimmy Carter, então presidente dos Estados Unidos, decidira retirar o apoio do Departamento de Estado aos regimes militares da América Latina. Veio ao Brasil, cumpriu o protocolo oficial, mas exigiu uma entrevista com os principais líderes da oposição, como Dom Evaristo Arns e Raimundo Faoro, então presidente da Ordem dos Advogados do Brasil.

Carter informou a eles que deixara um recado explícito ao general Geisel: o Brasil precisava abrir o regime, caso contrário receberia sanções do governo e da economia dos Estados Unidos.

A partir daí, já em nível do segundo escalão dos dois presidentes, negociado ou não, foi sugerido um "acordo entre cavalheiros". Os militares abririam o regime lenta, gradual e seguramente, mas precisariam de tempo para que fosse feita uma "limpeza no terreno", extinguindo os principais focos da subversão e mesmo da oposição, que obviamente aproveitariam a abertura política, e o retorno à liturgia democrática, para cobranças e revanchismos.

Na realidade, com a morte de JK, Jango e Lacerda, dois anos antes, o terreno poderia parecer "limpo", pois desapareciam os três líderes civis mais importantes do país. Contudo, surgiam diversos movimentos liberais espalhados por todo o território nacional, e até mesmo algumas tentativas de luta armada, intermitentes, mal articuladas, mas que davam razão à linha dura do regime, contrária a qualquer concessão democrática.

A expressão adotada, "limpeza do terreno", já estava em processo, com a truculência do governo Médici, que praticamente oficializou a tortura, o estranho desaparecimento de diversas lideranças, como a do deputado Rubem Paiva, do líder sindical Aloísio Palhano, e até mesmo a morte suspeita dos três pesos-pesados que haviam tentado a Frente Ampla contra o regime autoritário.

Ao lembrar a expressão (limpeza do terreno), que teria sido empregada por Geisel na conversa que manteve com Carter, ampliou-se minha suspeita inicial. Apesar de não ter elementos para adotar outra versão que não a oficial para as mortes de Juscelino, Jango e Lacerda, pela primeira vez comecei a pensar que a morte dos três poderia ter sido o início da limpeza do terreno, necessária aos militares que temiam, com a chegada dos democratas à Casa Branca, uma pressão pela abertura e pelo fim das ditaduras militares no Cone Sul.

Comecei a dar maior importância às sucessivas matérias sobre a Operação Condor, que passaram também a ser objeto de pesquisa de outros jornais, aqui e no exterior. Tentei fazer um resumo do que seria, em essência, esta operação. Tratava-se de um movimento de âmbito continental destinado a limpar o terreno na América Latina, em especial no Cone Sul, da investida do comunismo internacional que ameaçava a paz do mundo livre liderado e protegido pelos Estados Unidos e, ao mesmo tempo, queimar arquivos indesejáveis à estabilidade dos regimes autoritários que se alinharam à estratégia global da política dos Estados Unidos durante a Guerra Fria.

Sob o pretexto de impedir que as ditaduras militares do Cone Sul fossem perturbadas por sedições, atos terroristas, guerrilhas e até mesmo uma revolução, e tendo como eixo a ditadura mais explícita do Chile, sob o comando do general Pinochet, os serviços de inteligência criaram uma operação transnacional destinada a impedir qualquer tentativa de liberalização dos regimes totalitários, que tradicionalmente garantiam a retaguarda de Washington em numerosos pontos de atrito com a política também imperialista da ex-União Soviética.

Em linhas gerais, as matérias publicadas sobre a Operação Condor foram bem documentadas, uma vez que nenhuma delas sofreu contestação dos antigos detentores do poder nem dos possíveis sobreviventes dos numerosos atentados que foram praticados sobretudo no Chile, Brasil, Argentina, Uruguai e Paraguai.

A Operação Condor foi ampla e eficiente, conseguindo calar, pressionar, eliminar toda uma infra-estrutura que poderia criar condições para a liberação dos regimes militares no Cone Sul, mas limitou-se a um corte horizontal tanto no lado da subversão como no da repressão.

Evidente que os alvos prioritários, a verticalidade da repressão, que atingiria as principais lideranças civis e democráticas do Brasil, Chile, Argentina, Uruguai e Paraguai, não aparecem explícitos nas revelações agora feitas. Mas a soma dos casos menores, que eliminaram gente subalterna dos diversos serviços de inteligência e dezenas de pessoas suspeitas de conspiração contra os regimes autoritários, está bem detalhada e comprovada.

Sem falar, é claro, nos numerosos casos de "queima de arquivo", a eliminação de militares, policiais e, eventualmente, civis, que tinham conhecimento das atividades repressivas dos governos que, por medida de segurança, não usavam os quadros oficiais da estrutura administrativa, mas contratavam os serviços de elementos nem sempre ligados ao funcionalismo oficial. Seriam livres atiradores, um aparelho terceirizado de *freelancers* que, a exemplo dos mercenários que serviam nos exércitos coloniais, formavam uma rede de espionagem e extermínio para impedir ações de qualquer grupo que tentasse combater os regimes de força.

Grande parte das revelações data de depois de 1977, ou seja, depois da morte de Lacerda. Mas formam um extenso painel das atividades dessa tropa de choque que, operando em conjunto, em rede internacional, limpava o terreno minado por atos de terrorismo e de guerrilha rural ou urbana, que se tornaram alvo prioritário após o desaparecimento dos grandes tubarões como JK, Letelier, Prats, Jango, Allende e outros.

A Operação Condor atuou como uma varredura da subversão no Cone Sul. Os alvos mais importantes foram eliminados antes da formação orgânica da rede internacional que daria, aos regimes de força, a garantia de muitos anos no poder. Oficialmente, cada país envolvido optou por não investigar a fundo a questão; o silêncio teria sido negociado informalmente por ocasião da abertura política, que só se tornaria possível após a limpeza do terreno pretendida pelos regimes totalitários.

No entanto, muitos dos bagrinhos, elementos dos segundos escalões e do baixo clero que dariam estrutura e operacionalidade à Operação Condor, começaram a agir após ou simultaneamente ao ofício do general Contreras ao general Figueiredo, de 28 de agosto de 1975, em que dois nomes foram citados, o de Kubitschek e Letelier.

E na época, com a Guerra Fria entre as duas superpotências empenhadas em conservar e manter a imobilidade ideológica em seus respectivos quintais, vigorava um acordo de cavalheiros que poderia lembrar, de certa forma, o Tratado de Tordesilhas, que dividiria o Novo Mundo entre Espanha e Portugal.

Neste contexto, os serviços de inteligência, geralmente confidenciais ou secretos (alguns chegavam a ser clandestinos, ou fora da lei), tinham absoluta prioridade junto aos governos de Washington e Moscou. O movimento militar de 1964, que depôs João Goulart e cassaria os direitos políticos de JK, foi monitorado abertamente pelos órgãos de inteligência norte-americanos e pelo FBI.[12]

Um episódio marginal daquele movimento revela a eficiência desse tipo de espionagem. No dia 29 de março de 1964, dois dias antes da deposição de Goulart, quando a guerra civil parecia iminente, inclusive com o deslocamento de navios de guerra norte-americanos para as proximidades do nosso litoral, Juscelino visitou o ministro do Exército, Jair Dantas Ribeiro, que estava internado no Hospital dos Servidores do Estado, no Rio de Janeiro, devido a uma crise renal que o obrigara a licenciar-se do cargo, enfraquecendo, desta forma, o dispositivo legal do governo.

Nem Jair Dantas Ribeiro nem JK eram protagonistas da crise. Mesmo assim, a CIA, com os recursos tecnológicos da época, mas ainda desconhecidos nos países subdesenvolvidos, conseguiu enviar para o Departamento de Estado, em Washington, o ofício 3/577.05, detalhando o encontro que se verificou num quarto de hospital, onde estavam presentes apenas duas pessoas, o próprio JK e o general Dantas Ribeiro.

Assim começa o ofício da CIA:

> On 29 march 64 Juscelino Kubitschek de Oliveira visited minister of war general Jair Dantas Ribeiro at the Hospital dos Servidores do Estado in Rio de Janeiro. Kubitschek told Ribeiro that the recents events surrounding the crisis in the navy ministry had now convinced him once and for all the president João Goulart had given in completely to the leftists and comunists and that Goulart "will not turn back". Kubitschek said that it was essential therefore that Ribeiro remain as minister of war since with Ribeiro out of the way Goulart "would have a free hand".[13]

Os serviços de informação e inteligência do Departamento de Estado norte-americano já dispunham de tecnologia suficiente para rastrear o encontro num quarto de hospital de dois personagens secundários (ou nem isso) no episódio da deposição de Goulart, em março de 1964. Em 1973, por ocasião do caso Watergate, já dispunham de recursos mais sofisticados para grampear conversas até mesmo no Salão Oval da Casa Branca. Podiam gravar por interesse próprio ou para abastecer aliados de informações *in side*, dispondo de uma tecnologia ainda não acessível aos países subdesenvolvidos.

Enquanto durou a Guerra Fria, em nome da segurança do mundo livre e de sua própria segurança, os Estados Unidos dispunham de recursos técnicos capazes de espionar qualquer cidadão em qualquer parte do mundo, criando condições para seu desaparecimento, contando, obviamente, com a colaboração dos interessados locais, que se posicionavam no tabuleiro internacional como seus aliados.

De 1962 até o final dos anos 70, início dos anos 80, o clima não apenas na América Latina, mas também na Ásia e na África, era condicionado prioritariamente pelo conceito de segurança do mundo livre, cujo baluarte operacional político e militar era o próprio Departamento de Estado norte-americano.

Crises abertas durante o período, como a de 1962, quando os mísseis soviéticos instalados em Cuba ameaçavam os Estados Unidos e por pouco não detonaram a Terceira Guerra Mundial, crise prolongada em outros episódios, como as diversas ofensivas no sudeste asiático, a caça e a morte de Che Guevara na Bolívia, as revoltas estudantis em diversas capitais do ocidente, a invasão da Tcheco-Eslováquia, com os tanques do Pacto de Varsóvia rolando suas esteiras nas ruas de Praga, em conflitos localizados como a Guerra do Yom Kippur de 1973 no Oriente Médio, com a conseqüente crise no abastecimento de petróleo, os sucessivos incêndios que acabaram definitivamente com a *pax* colonial em diversos países africanos, em Angola principalmente, a Revolução dos Cravos em Portugal, a deposição e o assassinato de Salvador Allende no Chile e o início da ditadura de Pinochet, planejada e mantida pelos serviços de inteligência dos Estados Unidos, a eclosão de movimentos de direita e esquerda desestabilizando o Tratado de Tordesilhas ideológico, informalmente ressuscitado pelas duas superpotências, todos esses fatores formavam um cenário que obrigava a um estado de alerta, de emergência mesmo, cada potência procurando adivinhar o poderio, as ligações e as intenções dos possíveis adversários.

Nos países do Cone Sul, que pela distância dos pólos internacionais mais excitados podiam ser considerados menos importantes, a questão era a manutenção de regimes, militares ou não, que garantissem a retaguarda continental dos Estados Unidos. A Revolução de Cuba, em 1959, aparentemente inofensiva para a segurança do mundo livre, em pouco tempo levara a tensão das superpotências a um limite que, por pouco, não se tornou trágico.

Na estratégia do defensor máximo do mundo livre, os Estados Unidos não repetiriam o erro anterior, que levou Fidel Castro, inicialmente um liberal, ao poder ditatorial e a seu alinhamento com a superpotência rival. Uma dezena de líderes locais poderiam se transformar em outros Castros. Já registrei a metáfora de gosto duvidoso, os Andes funcionando como uma nova Sierra Maestra, e se a imagem parece exagerada pelo tamanho e altitude dos Andes, havia a doméstica Serra da Mantiqueira, no eixo dos principais centros do poder político e econômico do Brasil, justamente os estados de Minas, São Paulo e a ex-Guanabara, palco onde se desenrolariam os principais lances do movimento militar de 64.

A importância desta hipótese aparentemente fantástica, a Mantiqueira transformando-se numa Sierra Maestra, freqüentava o imaginário político do Departamento de Estado, que passou a contar com o apoio e a estrutura do regime de Pinochet, uma cabeça-de-ponte importante no confuso xadrez da América Latina.

À semelhança do próprio Departamento de Estado norte-americano, que dispunha de órgãos oficiais e clandestinos para patrulhar as áreas de seu interesse mais imediato, o Chile do general Augusto Pinochet dispunha da Dirección de Inteligencia Nacional (Dina), órgão central de informações da Era

Pinochet, equivalente no fundo e na forma ao Serviço Nacional de Informações (SNI) do regime militar brasileiro, cujo fundador fora o general Golbery do Couto e Silva e cujo chefe, na época, era o general João Figueiredo, que sucederia ao general Ernesto Geisel e seria o último militar a ocupar a presidência da República.

Não apenas a carta de Contreras a Figueiredo serviria de elo para as atividades sigilosas do Dina chileno ao SNI brasileiro. O ofício mencionava Kubitschek e Letelier, não mencionava outros nomes, como os de Jango e Brizola, este também exilado no Uruguai e suspeito de arrecadar dinheiro para a compra de armas que abasteceriam os diversos grupos dispostos a iniciar qualquer tipo de guerrilha.

Por ocasião do desaparecimento de Jango, sabia-se que Leonel Brizola também estaria ameaçado de morte. Ameaça tão provável que obrigou o ex-deputado e cunhado de Jango a aceitar o abrigo que o presidente Jimmy Carter lhe ofereceu, ao saber que o político brasileiro não mais tinha condições de viver no Uruguai ou na Argentina.[14]

Uma dose de ironia marcaria o destino dos dois, Contreras e Figueiredo, o remetente e o destinatário do ofício do Dina datado de agosto de 1975. Contreras está preso no Chile, como culpado pela morte de Letelier. Figueiredo está morto. Antes disso, e depois de receber ofício do Dina, foi presidente da República Federativa do Brasil.

*

Do diário do repórter – maio de 2000 – Transcrevo a matéria que o *JB* publicou no domingo, 7 de maio, assinada por Márcio Bueno. A parte inicial de seu texto não é novidade. Já está condensada e arquivada, inclusive registrada neste diário que venho escrevendo. Do meio para o fim, surgem nomes e fatos novos, e um raciocínio também novo que não me havia ocorrido.

Jack Anderson reafirmou muitos anos depois ao jornalista da *TV Globo*, Geneton Moraes Neto, que tinha recebido o documento de um alto funcionário de um dos serviços de informação americano e que antes de divulgar tinha checado sua autenticidade. O jornalista e escritor Carlos Heitor Cony, que privou da amizade de Juscelino, disse ao *JB* que a soma de indícios que apontam na direção de um atentado, considerando fatos anteriores, as circunstâncias e o momento político, "é muito maior do que a que aponta para um acidente". Mas acrescenta que não entende como seria a mecânica de um acidente planejado, que levaria o carro com precisão para a outra pista, de encontro a uma carreta que viajava em sentido contrário.

Alguns dos principais indícios, a que se refere Cony, que sinalizam para um atentado, vêm sendo divulgados desde 1978. Um deles é o fato de que oito dias antes do acidente fatal, circulou em todo o Brasil o boato de que Juscelino tinha morrido em um acidente automobilístico na estrada que liga Luziânia, onde tinha uma fazenda, a Brasília. O ex-presidente não havia saído da propriedade e seus amigos acreditam que o boato foi espalhado por pessoas que sabiam que ele seria alvo de um atentado neste dia e saíram comentando, imaginando que tudo tinha saído como o previsto. Um motorista da Cometa foi acusado de ter atingido o carro de Juscelino, mas acabou absolvido no processo porque todos os passageiros depuseram negando o fato. A causa do descontrole do veículo permanece, portanto, sem explicação. O momento político era o da abertura política promovida por Geisel, que encontrava muita resistência nos setores da linha dura do governo. Uma liderança carismática como a de Juscelino poderia galvanizar as massas, atropelar o processo e a comunidade de informações temia ficar em maus lençóis no novo quadro político. Outro fato suspeito: a família do ex-presidente foi pressionada pelo SNI a não investigar as causas do acidente, usando como arma de pressão as páginas finais de seu diário, que relatavam um romance secreto de Juscelino e brigas com sua mulher, Sarah, segundo revela o próprio Cony. A quantidade de elementos para quem defende a tese de atentado é realmente muito grande. Os passageiros do ônibus da Cometa informaram que o carro de Juscelino entrou na rodovia vindo de uma estrada auxiliar, na altura de Engenheiro Passos. O jornalista Ivo Patarra descobriu que o ex-presidente esteve parado no Hotel-Fazenda Vilaforte, situado perto do local do acidente, de propriedade do brigadeiro da reserva Milton Junqueira Vilaforte. Vilaforte, já falecido, foi professor do general Figueiredo e amigo de Golbery do Couto e Silva, com quem teria estruturado o SNI. O filho de Milton, Gabriel Vilaforte, revela que o pai seria também um dos responsáveis pela estruturação do serviço secreto da Aeronáutica. "Meu pai pegou muito comunista a tapa", contou Gabriel a Ivo Patarra. O jornalista diz que não se sabe se Juscelino tinha parado apenas para fazer um lanche ou se teria sido atraído ao hotel para uma reunião com representantes da comunidade de informações. Um outro amigo de Golbery, o médico Guilherme Romano, coincidentemente ou não, apareceu no local do acidente logo em seguida.

Em relação ao temor da linha dura para com as grandes lideranças políticas no período da abertura, CHC se lembra que em 77 notou e escreveu sobre a grande coincidência das mortes de Juscelino, do ex-presidente João Goulart e do ex-governador da Guanabara, Carlos Lacerda, no espaço de apenas nove meses. Os três, apesar de separados por visões político-ideológicas bastante distintas, se uniram em 1966 e constituíram a chamada Frente Ampla contra o regime militar. A Frente, no entender de Cony, "foi o verdadeiro motivo da decretação do AI-5, e não o discurso de Márcio Moreira Alves no Congresso, usado simplesmente como pretexto". Assim como a morte de Juscelino, a de Jango também está cercada de fatos nebulosos, como a não-realização de autópsia, segundo registra o ex-governador Leonel Brizola. Carlos Lacerda foi internado para um *check-up* e para se tratar de uma gripe na Clínica São Vicente, no Rio, recebeu uma injeção calmante, porque estava muito ansioso, e morreu. A família nunca levantou suspeitas sobre as causas da morte e o próprio médico particular de Lacerda escreveu uma carta a Cony contestando qualquer possibilidade de ter sido uma morte provocada. O fato é que, com a morte de Lacerda, em 21 de maio de 1977, desaparecia o terceiro membro da Frente Ampla, em curto espaço de tempo. O ex-governador gaúcho Leonel Brizola, outra liderança fortíssima do campo da oposição, foi expulso sumariamente do Uruguai em setembro de 1977, sob a justificativa de alguns militares de que corria risco de vida e de que não tinham condições de garantir sua integridade física.

O jornalista inglês Richard Gott publicou um artigo no *The Guardian* em 4 de junho de 76 que pode conduzir à conclusão de que as mortes foram não só provocadas como podem ter sido obra da chamada Operação Condor, organização de informações e de repressão que unificou as polícias políticas do Cone Sul. Gott dizia em seu artigo, baseado em fontes especialistas em América Latina, que estava em curso no nosso continente alguma coisa semelhante à Operação Fênix, programa de assassinatos de lideranças financiado e assistido pela CIA, levada a cabo durante a guerra do Vietnã. O objetivo era atuar contra aqueles "capazes de agrupar o povo em uma campanha de resistência contra os militares no poder" e praticamente responsabilizava Kissinger pelo processo em curso. O artigo foi escrito poucos dias depois do seqüestro e assassinato, em Buenos Aires, do ex-presidente boliviano Juan José Torres, que havia sido deposto por um golpe militar e vivia exilado na Argentina. Dois meses depois, morria na Dutra o ex-presidente Juscelino Kubitschek, mais um mês era vítima de atentado em Washington, o ex-ministro de Allende, Orlando Letelier, mais três meses, em dezembro de 76, morria no interior da Argentina o ex-presidente João Goulart e, cinco meses mais tarde, em maio de 77, o ex-governador Carlos Lacerda.

Não conheço o jornalista que escreveu a matéria. Bem ou mal, ele desenvolve uma linha de pensamento paralela à minha.

A diferença é que perdi qualquer oportunidade de escrever sobre o assunto, consideram-me maníaco, alguns colegas ainda me toleram na base da compaixão. Mesmo assim, a matéria que transcrevi, longe de me desanimar, mais reforça o raciocínio básico, princípio, meio e fim de conclusão paradoxal a que cheguei: "Os indícios de crime nas mortes de JK, Jango e Lacerda são mais fortes do que as provas."

Capítulo 10

Do diário do repórter – maio de 2000 – Rio de Janeiro – Li hoje no *Jornal do Brasil* de 19 de maio de 2000: "Governo apura morte de Goulart". Matéria assinada por Sônia Carneiro.

Poderia estar assinada por mim. Em 1977, durante o enterro de Carlos Lacerda, estranhei a coincidência das três mortes sucessivas. Ao chegar à redação e antes de fazer o texto, conversei com meu editor sobre o assunto, ele me deu uma cortada violenta, que deixasse de lado qualquer cascata, fosse apenas um repórter e me limitasse aos fatos: o enterro, as pessoas presentes, as coroas enviadas.

Mas, por conta própria, comecei a pesquisar, gastei o que não tinha, criei problemas em casa, fiquei sozinho mas continuei levantando o que podia, me virava em frilas vergonhosos, até livros infantis escrevi para um livreiro caridoso que teve pena de mim e assim mesmo me explorava.

E aí está: vão investigar a morte de Goulart e, segundo se anuncia, outra comissão será formada na Câmara dos Deputados para apurar as circunstâncias do acidente que matou JK.

"O ministro-chefe do Gabinete de Segurança Institucional, general Alberto Cardoso, atendeu ontem ao pedido do líder do PDT na Câmara dos Deputados, Miro Teixeira (RJ), para começar imediatamente investigações sobre a morte do ex-presidente João Goulart, em 1976, na Argentina – que até hoje se acreditava ter sido causada por ataque cardíaco, mas que o atestado de óbito, obtido pelo JB, *atribui somente a 'enfermidade'. O general disse a Miro que vai investigar as suspeitas de assassinato do ex-presidente, aproveitando as pesquisas que estão sendo realizadas nos arquivos do antigo Serviço Nacional de Informações (SNI), que estão na Agência Brasileira de Inteligência"*, diz a matéria.

Do diário do repórter – Brasília – dia 6 de junho de 2000, 10h42 – Acaba de ter início a primeira audiência pública da comissão externa da Câmara dos Deputados para investigar o suposto assassinato do ex-presidente João Goulart. Fiz questão de acompanhar tudo de perto. Para quê? Não sei.

Não acredito na eficiência dessas comissões. São formadas para dar satisfação a algum grupo poderoso, sobretudo os que têm acesso ou influência na mídia. A série de matérias sobre a Operação Condor não poderia passar em branco. Mas já foi dito que a melhor maneira de não se apurar um fato é formar uma comissão para justamente apurar o fato. E mesmo que venha a apurar qualquer irregularidade ou crime, ela não tem poder de Justiça. A idéia da comissão, explica Miro Teixeira, nasceu de uma conversa sua com o ex-governador Leonel Brizola, presidente do partido do qual Miro era líder. Ao tomar conhecimento das matérias sobre a Operação Condor, Brizola revelou a Miro que o nome dele, Brizola, estava numa lista de pessoas marcadas para morrer. Achava que a morte de Jango e todas as denúncias relativas à Operação Condor deveriam ser investigadas.

Inicialmente, Miro pensou em pedir a formação de uma Comissão Parlamentar de Inquérito (CPI), mas a Câmara estava congestionada com diversas CPIs sobre irregularidades mais recentes. Ele sugeriu, então, uma Comissão Externa.

A Comissão terminaria seu trabalho em 15 de agosto de 2001, e tive acesso ao relatório final. Ao ler a Introdução, com os objetivos da apuração, e a Conclusão, constataria que minha desconfiança inicial se justificava.

O relatório final, assinado por Miro Teixeira, introduz o assunto com um levantamento geral da situação criada a partir da Operação Condor: "Os trabalhos desta Comissão se pautaram pela idéia de que a morte do ex-presidente João Goulart não poderia ser excluída das investigações sobre a história recente da repressão em nosso continente."

E depois de ouvir numerosos depoimentos, reconhece: "Trata-se, afinal, de um repositório de informações para futuros investigadores."

Na conclusão final dos trabalhos da Comissão, o relatório lembra que "*João Goulart morreu em 6 de dezembro de 1976, na cidade de Mercedes, Argentina, país governado por uma ditadura militar. Seu corpo, colocado às pressas em um caixão, descalço, em traje de dormir, não foi autopsiado, nem no país em que faleceu, nem no Brasil, país em que foi enterrado, e que também vivia sob o jugo de uma ditadura. Ambos os regimes seriam os mais interessados em esclarecer a morte do ex-presidente, se ela decorresse de causas naturais. Até porque, à época, os assassinatos políticos proliferavam na América do Sul – e, em particular, na própria Argentina.*"

E arrola entre outros, além da morte de Orlando Letelier, em setembro de 1976 (um mês depois da morte de JK e três meses antes da morte de Goulart), "*os assassinatos do general Juan José Torres, ex-governante boliviano, que apareceu morto com um tiro na nuca; do ex-presidente da Câmara dos Deputados, Héctor Gutiérrez Ruiz, e do ex-senador Zelmar Michelini, uruguaios, mortos em Buenos Aires, Argentina, os três em 1976, ano da morte de João Goulart*".

E acrescenta: "*É importante que ela seja incluída no processo histórico que começou com o golpe de Estado contra o governo João Goulart em 1964 – e que se mostre como dirigentes políticos sul-americanos foram mortos na década de 1970 em função de um projeto político, para impedir o retorno de lideranças populares afastadas por uma sucessão de golpes nos anos anteriores.*"

Finalmente, conclui: "*Embora as investigações estejam apenas começando, e devam estender-se ainda por alguns anos, seria descabido manter esta Comissão em funcionamento semipermanente até que o quadro da história recente do continente esteja completo. (...) Ao concluir pela impossibilidade de colocar um ponto final na investigação, a Comissão oferece um serviço ao país. Primeiro, porque cumpriu seu papel investigativo, entregando ao público o material passível de recolhimento neste momento, preparando o terreno para investigações futuras.*

Depois, porque não forçou a verdade histórica em um sentido ou noutro, mantendo a coerência com os princípios de uma investigação imparcial.

Jamais imaginamos encerrar essa história. Nossa proposta era iniciá-la. E o fizemos. Não há como afirmar, peremptoriamente, que Jango foi assassinado. Mas será profundamente irresponsável, diante dos depoimentos e fatos aqui consolidados, concluir pela normalidade das circunstâncias em que João Goulart morreu."

*

João Vicente Goulart, filho de Jango, foi o primeiro a depor na Comissão, no dia 6 de junho de 2000. A sessão teve cobertura cinco estrelas, com destaque especial no *Jornal Nacional* na Rede Globo, uma das referências do jornalismo no Brasil.

Com isso, foi dada uma espécie de "satisfação" à opinião pública sobre as muitas dúvidas e mistérios não apenas da morte do ex-presidente, mas da Operação Condor ou parte dela.

A imprensa estava toda lá. Até eu, que há muito não era considerado "da imprensa".

O depoimento durou duas horas e 37 minutos. Antes que falasse, a presença da viúva, Maria Thereza Goulart, na primeira audiência pública realizada da Comissão Externa foi destacada como "extremamente significativa".

"Primeiro", diz Miro Teixeira em seu relatório, "ela demonstra o desejo da família do ex-presidente de esclarecer um fato da história do Brasil (e dela própria) que vem exigindo a atenção da nação."

Ao contrário do apoio que se esperava da família, a comissão seria encerrada sem o depoimento – talvez o mais importante de todos – de dona Maria Thereza. Depois de ter-se comprometido a comparecer, ela desistiu. O motivo seria uma nota da jornalista Hildegard Angel, no dia 19 de maio de 2001, em *O Globo:*

> Maria Thereza Goulart confirmou sua presença, dia 6 de junho, em Brasília, na comissão instalada na Câmara dos Deputados para investigar a morte do ex-presidente João Goulart. Ela vai, pela primeira vez, comentar a hipótese de que Jango tenha sido envenenado e, neste caso, a ex-primeira-dama seria a principal suspeita...
> Há tempos corre o rumor de que teria havido um complô para matar Goulart. A novidade é o suposto envolvimento da viúva. A versão, aparentemente fantasiosa, ganha impulso quando se sabe que ele morreu em sua "La Villa", em Mercedes, província de Corrientes, Argentina, quando dormia com a mulher, apesar de já estarem – sabia-se – separados...
> O mais obstinado defensor dessa tese é um amigo de Jango, o corretor Enrique Foch Diaz. Ele diz ter quase certeza da participação dela numa trama para matar Jango, envolvendo política e seu rico patrimônio em terras e aviões. Para Diaz, Thereza recearia perder a posição para Eva de León, com

> quem o ex-presidente tinha aberto romance há 6 anos, desde que ela tinha 16 anos de idade...
> O corretor vai mais longe apontando como cabeças da conspiração Cláudio Braga, ex-deputado pernambucano, que depois se tornou procurador da viúva e seu sócio, Ivo Magalhães, procurador de Jango. É claro que ambos negam...
> A acusação é muito séria e espera-se que Diaz tenha mais elementos do que o seu achismo para respaldá-la...
> O deputado gaúcho Luiz Carlos Heinze, integrante da comissão e ex-prefeito de São Borja, terra de Jango, foi atrás, ouviu os envolvidos e já fala em exumação do cadáver, com o que o presidente da Comissão, deputado Reginaldo Germano, concorda. O menos convencido é o relator Miro Teixeira, que prefere crer num possível vínculo dessa morte com a Operação Condor...

A suspeita de Enrique Foch Diaz não era novidade. Em 1982, havia lançado o livro *João Goulart – El crimen perfecto*, no qual acusa dona Maria Thereza, Cláudio Braga e Ivo Magalhães de envolvimento na morte de Jango. Ivo Magalhães, inclusive, mandou uma carta para a Comissão se defendendo dessas acusações, colocando-se à disposição da Justiça para apurar os fatos. Mas isso nunca aconteceu.

No que se refere à mulher de Jango, em 2 de fevereiro de 1982, ela teria dado uma procuração a Foch Diaz, com acesso à contabilidade de seus bens no Uruguai e na Argentina. Ao saber que estava sendo acusada por ele, e a pedido do filho, João Vicente, revogou a procuração, quatro meses depois.

Há muitas maneiras de explicar ou de não explicar a decisão da viúva de Jango em não depor na Comissão da Câmara dos

Deputados. De início, ela estaria disposta a prestar depoimento, embora já tivesse conhecimento de que fora acusada formalmente por Foch Diaz. Mesmo sabendo da acusação, dona Maria Thereza tinha aceitado depor e desistiu na última hora. Por quê? Talvez pela nota da jornalista Hildegard Angel, segundo a qual os deputados da comissão já estariam propensos a aceitar a denúncia do "crime perfeito" feita por Foch Diaz.

Ela evitaria o constrangimento de comparecer a uma espécie de tribunal que já teria a sentença firmada, colocando numa bandeja sua dignidade pessoal e oferecendo-a aos membros da comissão.

Detalhe igualmente importante é saber como a jornalista obteve a informação, verdadeira ou falsa não importa. Evidente que a fonte deve ter sido algum deputado da própria comissão ou assessor da mesma. Conheço da profissão o suficiente para saber como funciona a mecânica entre o jornalista e suas fontes. Tive algumas e sei que prevalecem os interesses tanto do jornalista (em dar um furo, uma informação privilegiada, na linguagem do turfe: uma informação de cocheira) e das fontes, que procuram plantar uma notícia que lhes interessa e pelas quais muitas vezes cobram dinheiro ou prestígio.

Sou repórter desacreditado, está certo, mas tenho estrada no ofício. Quem passou a informação, falsa ou verdadeira, não importa, desejava impedir que a viúva de Jango depusesse. Poderia especular que dona Maria Thereza, sendo cunhada de Leonel Brizola, e o relator da comissão, ligado pessoal e politicamente ao ex-governador e presidente de honra do PDT, partido ao qual Miro Teixeira pertencia, foi encontrado um meio de evitar o constrangimento a que a viúva seria submetida.

Mas seria uma jogada muito sofisticada e imprópria para dois políticos que teriam todos os motivos para clarificar a morte de Jango, políticos vividos e sofridos na oposição.

Dona Maria Thereza, depois de se declarar disposta a depor, resolveu desistir e, com isso, esvaziou a comissão de um dos testemunhos mais importantes para o esclarecimento da morte do marido. E a jornalista Hildegard Angel publicaria um desmentido da nota que deflagrou todo esse contratempo (ver, nos anexos, p. 272, trechos da nota).

A família de Jango também foi contra a exumação do corpo. Dona Maria Thereza não queria e João Vicente não confiava nos peritos brasileiros.

Entrevistei-o e ele me disse:

"– Não queremos fazer um carnaval em cima disso. Conversei com a mãe e com minha irmã, Denise; a gente até autorizaria desde que existisse o acompanhamento de um laboratório, de um instituto internacional com credibilidade. Tivemos aqui exemplos de exumação feita por peritos brasileiros que não deram em nada, como no caso do PC Farias, que depois ficou comprovado que foi forjada. Nós pedimos – e eu não sei como o pedido foi recebido dentro da comissão – que nos dissessem quais seriam as tecnologias disponíveis. Informaram-me que se a suspeita fosse de envenenamento por arsênico, a tecnologia seria uma, se fosse gás sarin, o método de pesquisa seria outro. Vinte e cinco anos se passaram e qualquer tipo de perícia seria complexo e até mesmo duvidoso. A comissão chegou a ouvir dois técnicos, mas a possibilidade de uma solução ficou na retórica. Pedimos um documento técnico que pudéssemos avaliar. Gostaríamos de autorizar a exumação, mas preliminarmente queremos saber quem vai fazer, e como. Aceitamos a investigação se for feita por um instituto internacional. Perito brasileiro nós não queremos."

A exumação já havia sido pedida em 1982, quando Enrique Foch Diaz entrou com um processo, em Curuzu Cuatiá, na província de Corrientes, na Argentina, local mais próximo de Mercedes, onde Jango morreu. Pedia a "investigação da morte duvidosa do ex-presidente do Brasil, João Belchior Marques Goulart, e de delitos de furtos, roubos e defraudações que foram cometidos sobre os bens dele".

A exumação foi sustada por uma solicitação sigilosa do governo brasileiro ao governo argentino, presididos então por generais, que haviam sido chefes dos serviços de inteligência e informação de seus respectivos países.

Sinceramente, nunca aceitei a suspeita de que dona Maria Thereza estivesse envolvida na morte do marido, a não ser acidentalmente, sem saber que estava sendo manipulada pelos interessados na morte de Jango. Impossível fazer a conexão da viúva de Jango com os governos militares da época, a limpeza do terreno que era um braço quase insignificante mas decorrente do clima provocado pela Guerra Fria, num contexto muito maior do que qualquer tipo de desavença conjugal permanente ou passageira.

*

Interesses financeiros entraram em conflito com a morte de Goulart. Era homem rico, com propriedades no Brasil, no Uruguai, na Argentina e até no Paraguai, muitas das quais não estavam em seu nome. Vinte anos depois de sua morte, a questão dos bens deixados por Jango passou a ser questionada. João Vicente moveria uma ação contra Ivo Magalhães por conta das terras que ele tinha em sociedade com Jango no Paraguai. No entanto, até hoje a Justiça uruguaia não deu uma decisão definitiva sobre o assunto.

Apesar disso, era impossível imaginar que a morte de Jango, planejada há tempos pela Operação Condor e seus afluentes, em sua última etapa tenha aproveitado um complô entre dona Maria Thereza Goulart, Cláudio Braga e Ivo Magalhães. Até porque os depoimentos que ouvi na Comissão Externa da Câmara dos Deputados e outros que pesquisei em diferentes fontes reforçavam a hipótese em que sempre acreditei e continuo acreditando: Jango – não só ele, mas Juscelino e Lacerda – foi eliminado numa "limpeza de terreno", preço que o regime militar cobrou para que fosse feita a abertura.

Igualmente importante, no depoimento de João Vicente, foi a revelação de que o pai já havia decidido voltar para o Brasil e, nesse sentido, enviara um amigo para sondar os militares do Rio Grande do Sul, que garantiram seu regresso sem nenhum problema. Todos os processos a que ele respondia estavam arquivados e o ex-presidente nada teria a temer. Mas o ministro do Exército, Sylvio Frota, ao saber da intenção de Goulart, enviou um comunicado interno a todas as guarnições do país "*mandando que, quando o ex-presidente João Goulart entrasse em território brasileiro, prendessem-no e o deixassem incomunicável, sob qualquer circunstância, independentemente de seus processos terem acabado ou não...*"

E o filho de Jango também lamenta a falta da autópsia no corpo do ex-presidente: "*...qualquer pessoa que morre em outro país, seja ela turista ou esteja lá por qualquer outra circunstância, é obrigação do país, para transportar o corpo, realizar uma autópsia, até para se eximir de qualquer responsabilidade. No caso do ex-presidente João Goulart, há algumas circunstâncias, como a certidão de óbito, publicada também pelo* Jornal do Brasil, *que foi dada por um pediatra, numa longínqua cidade, Mercedes, apenas dizendo: Morreu de 'enfermedad'.*"

*

Eu também leria o depoimento do médico Ricardo Rafael Ferrari, que assinou o atestado de óbito de Jango. Ele diria que foi procurado em sua casa, na noite de 5 para 6 de dezembro de 1976, para atender, com urgência, a uma pessoa identificada como "o doutor" e, logo depois, como o "doutor Goulart" – a quem nunca havia visto. Quando chegou à fazenda, e teve contato com o corpo, ele ainda não estava frio, mas já se encontrava com rigidez cadavérica. No quarto, além do cadáver, encontrava-se apenas uma senhora, que disse ser a esposa.

Perguntada, ela respondeu que ele era cardíaco. Quando o médico indagou se ele usava algum medicamento, ela lhe trouxe, de fora do quarto, um frasquinho, cuja composição "estava em inglês, mas a fórmula era similar, igual à dos comprimidos que receitamos para dilatar as coronárias". O médico fez questão de dizer que procurou por medicamentos no quarto e não os encontrou; na mesa-de-cabeceira não teria visto nem copo de água, nem xícara de café, nem frasco de comprimidos. Nas palavras do médico: "Se ele tomou seus comprimidos, certamente o fez muito antes, não no momento em que se deitou."

O médico Ricardo Rafael Ferrari disse ter tomado algumas precauções, ao perceber que se tratava da morte de uma pessoa importante, e tendo consciência do momento político por que passavam Brasil e Argentina. Além de procurar marcas de violência no cadáver, o médico afirmou ter passado pela delegacia de polícia para informar que um ex-presidente da República do Brasil falecera em sua estância argentina e sugerir que se procurasse um médico forense e, se fosse o caso, que se mandasse fazer uma autópsia. Ele "não queria ficar com a responsabilidade de ser o único a atestar essa morte". Mas nada foi feito.

João Vicente foi, então, questionado sobre a possibilidade de seu pai ter sido envenenado por meio dos medicamentos que tomava.

– Ele foi a Lyon fazer exames, que indicaram que estava relativamente bem. Fez um regime alimentar, perdeu vinte quilos, estava bem disposto inclusive para retornar à Europa. (...) Quando vinha para o Brasil, trazia os seus medicamentos. Mas quando ele passava algum tempo sem ir à Europa, esses medicamentos vinham por *packing* a Buenos Aires e ele mandava buscá-los assim que chegavam. Eram medicamentos que não existiam similares na época na Argentina nem no Uruguai, eram diretamente comprados na França. (...) Os outros medicamentos, que não esses importados da França, eram comprados ao acaso, por quem fosse mais cômodo no momento, sem nenhuma preocupação de controlar a origem... ele tomava dois ou três remédios diferentes. Eu não acredito que houvesse uma pessoa encarregada disso. Geralmente era quem estivesse: "Vai lá e compra." Não havia uma pessoa específica para fazer isso. Ele dizia: "Manda comprar ali o remédio". Os remédios tampouco eram comprados em uma farmácia fixa.

João Vicente falou também sobre a atividade empresarial do ex-presidente, a invasão do escritório que Jango tinha em Buenos Aires, por um comando da repressão, e o enterro de Jango:

– Ele organizou várias empresas de exportação de carnes, um setor que conhecia muito. Inclusive, ajudou o Perón, intermediando algumas operações, que estavam complicadas, da Argentina com a Líbia. Devido a perseguições, ele desistiu, praticamente, de continuar naquele país. Inclusive, tinha um escritório grande, montado na avenida Corrientes, Edifício Montecooper Business Center, uma empresa de exportação de produtos do setor primário (carne e arroz), onde foi procurado em uma operação parecida com a do senador Michelini e do deputado Gutiérrez... Depois veio o Prats, o Torres. O seu piloto também foi preso no Uruguai, acusado de pertencer ao Movimento Tupamaro. Ainda houve outro homicídio, este ocorrido no Uruguai. Um ex-candidato a presidente do país, Tito Herber. Ele recebeu do seu colega, em casa, no Natal, uma cesta de vinhos com coisas falsificadas – ele era congressista, deputado ou senador, não estou lembrado. "Ao querido companheiro de Congresso, ofereço neste Natal...". A coisa era falsificada. A esposa dele abriu uma garrafa, tomou, e foi detectado o veneno, porque foi feita a autópsia, mas era para ele. E também foi feito pelo serviço secreto. Hoje já existe este depoimento no Uruguai, de que a Operação Condor estaria por trás dessa morte, que vitimou sua esposa, e não ele.

Em 1981, surgiram fatos e surgiram acusações de que teria sido esta ou aquela pessoa (que teria assassinado Jango). Mas realmente nós (a família) decidimos, em 1981, não levar isso adiante, porque não havia condições políticas, não havia situação que pudesse ter uma objetividade maior. Entendemos que seria uma aventura fazer uma investigação desse tipo sem termos o apoio necessário dos governos envolvidos. Essa investigação demandaria, sem dúvida alguma, o envolvimento dos governos uruguaio e argentino. E nós entendemos que, naquele momento, não existia uma situação política que pudesse envolver tudo isso. (...) A situação nessa época era completamente diferente da atual. (...).

---

*

Eu decidira acompanhar a Comissão até o fim. Tinha quase certeza de que não iria dar em nada. Nem sei se poderia conseguir uma pista sobre o fato novo que buscava. Se alguém me perguntasse a razão daquela insistência, não saberia responder. O fato é que, com o passar dos anos, em vez de se diluir, aumentava esta insistência. Queria pagar para ver. E estou pagando.

Assisti também ao depoimento do ex-governador Leonel Brizola, que estivera no exílio com Jango e foi perseguido tanto ou mais que ele. Brizola, que tinha sugerido ao deputado Miro Teixeira a instalação da Comissão, começou a falar sobre sua experiência no exílio, a solicitação de asilo nos Estados Unidos e a percepção gradual de que o movimento repressivo na América do Sul possuía um grau de articulação muito maior do que poderia supor inicialmente.

– Recebi de Miguel Arraes o aviso de que o serviço de inteligência da Argélia o informara de que eu estava na lista; portanto, deveria cuidar-me. E passar a informação ao ex-presidente João Goulart, cujo nome também estaria na lista.

Tive depois a mesma informação, vinda de duas embaixadas. Assumi o compromisso de jamais revelá-las.

E depois deste intróito pessoal, passou a depor sobre o caso de seu cunhado:

– Fomos surpreendidos com a morte dele. Nada indicava que pudesse vir a falecer. Difundiu-se a notícia de que teria sofrido um acidente circulatório e fora vítima de enfarte, quando estava dormindo. Eu não podia sair do Uruguai, mas conseguimos que minha mulher, Neusa, fosse transportada até Uruguaiana para receber o corpo do irmão. Ela foi a São Borja, acompanhou o enterro. Depois, o quadro ficou cada vez mais claro, com o assassinato de outras personalidades. Passamos a examinar o caso pelo aspecto de que ele tivesse sido assassinado em vez de ter tido morte natural. Ao verificar que se recusaram a fazer autópsia do cadáver para descobrir a *causa mortis*, encontrei o elemento que me levou à convicção de que não havia ocorrido o que fora noticiado.

Ele fez uma refeição num restaurante público. Podia ter sido vítima de um envenenamento. Existem venenos que fazem efeito 10, 12, 24 horas depois de ingeridos. Tecnicamente, sem dúvida, era possível. Tudo indica que foi um processo de envenenamento. Por que não fizeram a autópsia? Quem governava a Argentina à época? Praticamente, este personagem que está preso e sendo julgado atualmente: o general Videla. Os jornais argentinos e as agências noticiam que ele está sendo acusado de ser um dos responsáveis pela Operação Condor. Francamente, acho que o ex-presidente João Goulart foi vítima dessa repressão.

---

*

Também considerei importantes os depoimentos do deputado Neiva Moreira (que esteve no exílio com Goulart) e do governador Miguel Arraes.

Neiva Moreira fez um quadro do que era o ambiente na América do Sul da época e disse ter visto uma lista em que constava o nome de João Goulart para morrer:

– Um dia o Paulo Piacentini, que era o diretor argentino, da revista *Terceiro Mundo*, me disse: "Neiva, estou informado de que vão matar o general Prats." Primeira indicação macabra desse ciclo de banditismo que havia em Buenos Aires. Eu disse: "Ah, o Prats? Mas eu não me dou com o Prats." "Eu queria que você avisasse o Prats de qualquer maneira." "Mas eu não me dou com o Prats". "Diga a ele que sou eu que estou pedindo a você, porque eu recebi 24 horas para deixar o país e vou deixar amanhã de manhã".
Então, procurei o..."Quem é amigo do general Prats?""Fulano." Procurei o Fulano, ele me disse: "Bom, então, eu vou fazer um contato como sr. general Prats para transmitir esse aviso." Fomos ao gen. Prats: "General, o Paulo, seu amigo, jornalista Paulo Piacentini, está me informando que o senhor está numa lista macabra, que o senhor vai ser fuzilado." Pois bem. Não disse nada. Uns dias depois, um diplomata me procurou –

permitam-me não revelar seu nome, porque ele ainda se encontra em atividade na diplomacia de um país hispano-americano – e disse-me: "Neiva, a situação se agravou consideravelmente. Agora, há listas de matar." Perguntei: "Eu estou na lista?" "Não, você está na lista de deportados; e vai ser deportado já." Perguntei-lhe: "E quem está na lista?" Ele me disse: o gen. Prats, que tinha sido chefe do estado-maior do Exército chileno e estava exilado, que não era homem de esquerda, era um militar absolutamente, diria, hoje, de Centro; o general Juan Torres, que fez um governo progressista na Bolívia, o senador Wilson Ferreira Aldunate, da Argentina, e o presidente João Goulart. Como vamos avisar o presidente Goulart?, pensei. O presidente Goulart jamais se interessaria por essa conversa. Pensaria: por que iriam matá-lo, se estava em uma atividade civil, normal? Muito bem. Procurei um amigo do presidente Goulart, que vivia sempre no Hotel Liberty, e transmiti a ele: "Olha, a pessoa que nos disse isso é uma pessoa da maior responsabilidade. É diplomata encarregado de serviços de segurança em seu país e sabe o que está dizendo." "Não, não. Olha, isso é terrorismo. Não vou me meter nisso." Muito bem. "Presidente, o senhor está avisado." O terrorismo continuava. O general Prats foi morto em setembro de 1974; o Torres, em 2 de junho de 1976. Vejam bem: nesse período, e não me recordo a data, mataram dois eminentes e futuros líderes do Uruguai, que poderiam levar aquele país a outro destino: o deputado Héctor Gutiérrez, que foi presidente da Câmara, e o senador Zelmar Michelini, homem de esquerda, embora fosse de um partido não-comunista, que estava muito atento. Foram fuzilados de maneira brutal na Argentina naquele período.

*

Era a vez do governador Miguel Arraes falar:

– Eu estava exilado na Argélia. Havia muitos refugiados: cerca de oito mil refugiados políticos em Argel, de todos os países, da Europa até a Indonésia. Havia gente de todo o lado. E os argelinos tinham especial cuidado com toda essa gente que estava lá refugiada, porque se consideravam responsáveis por essas pessoas que o governo tinha levado oficialmente para lá. (...) A principal pessoa encarregada dessa tarefa era o coronel Sulleiman Hoffmann, assessor para assuntos internacionais do presidente Boumedienne. Certo dia ele me telefona e diz que quer falar comigo. Eu fui lá. Ele me disse: "Arraes, amanhã e depois de amanhã, você não sai de casa, três pessoas vão lhe procurar." Eu disse: "Pois não, está certo. Fico em casa". E fiquei efetivamente em casa, e apareceram as três pessoas. Elas exigiram muito cuidado na conversa, isto é, eles não queriam em casa ninguém que não fosse da família, não queriam testemunhas. Iam falar comigo. E me disseram o seguinte: "Nós estamos vindo do Cone Sul da América Latina." Não disseram de onde. "Houve uma reunião da extrema-direita para apreciar a questão de uma possível abertura." Já se começava a falar, porque isso está ligado àqueles anos da guerra do Vietnã. A guerra do Vietnã estava sendo perdida. E todas as análises indicavam que, na medida em que a guerra fosse perdida, os Estados Unidos não poderiam ficar com o mundo militarizado debaixo das botas de soldado. Teria que ser dada uma solução intermediária qualquer, fosse de transição ou de qualquer outro tipo. Então, já se debatia essa questão, e os militares sabiam disso. Eles viram que essa era uma tendência que não mais seria revertida, porque, como falei, era impossível este mundo todo ficar com os militares mandando eternamente. Teria de haver um paradeiro para isso. Já era negativo esse fato na opinião pública internacional. Naquela fase algumas figuras da Europa haviam se manifestado contra a guerra do Vietnã, e havia protestos cada vez maiores, inclusive nos Estados Unidos. Uma das pessoas que em primeiro lugar realizou um ato que teve uma grande repercussão foi Olaf Palme, primeiro-ministro sueco, do Partido Socialista da Suécia, que reuniu 10 mil pessoas na praça pública para se opor à guerra do Vietnã.[15] Portanto, essa opinião que se formava fazia com que a direita receasse uma mudança, uma transformação. Essa reunião examinava isso e estudava providências e precauções a serem tomadas para evitar que pessoas importantes que estavam presas e exiladas, em diferentes países, pudessem chegar e empalmar a opinião pública no caso de uma eleição, de uma mudança brusca da situação política. Nessa reunião, eles já haviam condenado à morte as pessoas que estivessem nessa situação e que atendessem a esse critério. Assim, eles me pediram que transmitisse essa informação a pessoas de outros países, pessoas que estivessem mais ou menos nessa situação. Enfim, que transmitisse a informação a alguém de confiança para que cada um fizesse o trabalho dentro das suas áreas de exilado. Eu perguntei por que elas, essas pessoas, pediam isso logo para mim. Eles me disseram: "Primeiro, por causa da referência que nos foi dada pelo coronel Hoffmann; segundo, porque analisados os nomes, verificamos que o senhor é quem está em melhores condições de realizar este trabalho, pela sua condição de exilado aqui na Argélia. O senhor pode se deslocar para alguns lugares, porque nós não podemos contactar todo mundo. Não podemos contactar porque nós não podemos aparecer em canto nenhum. Nós estamos aqui falando com o senhor excepcionalmente, porque é uma questão decisiva e importante. Assim, o senhor vai ter esta missão." Dessa forma, eu procurei realizar a missão. Fui à Europa, procurei alguns exilados chilenos e pessoas de outros países para comunicar essa notícia que me tinham dado. Não se passou um mês desse acontecimento, foram assassinados Gutiérrez e Michelini, dois uruguaios, e uma sucessão de assassinatos se seguiu nos diferentes países da América Latina. Todos sabem, e aqui a Comissão pode até listar, que foi a partir dessa oportunidade que mataram o general Prats, mataram o Letelier, mataram não sei quem... Tudo isso no espaço de algum tempo. Então, vejam, qualquer pessoa sabe que as três pessoas mais importantes no caso da abertura no Brasil eram Juscelino Kubitschek, João Goulart e Carlos Lacerda. Eram essas pessoas que podiam aparecer como condutores de uma frente nacional para refazer o país. Portanto, se os senhores pegam essas três pessoas e juntam com o critério que me foi comunicado naquela oportunidade, só podemos dizer que eles tinham sido condenados à morte. Como é que eles morreram? É outro fato. Mas que a condenação havia, havia. Vejam, no meu caso, o que eu posso dizer, diante dessas informações e sobretudo da comunicação que me foi feita, nas circunstâncias em que recebi tais informações, é que havia essa condenação e que morreram sucessivamente no Brasil Juscelino, Jango e Lacerda, os homens que haviam sido indicados na condenação prévia nessa reunião no Cone Sul. Então, na minha cabeça, eu não diria que nenhum deles morreu de morte natural.

Do diário do repórter – 21 de junho de 2000 – No jornal *Zero Hora* (Porto Alegre) de hoje, há esta nota:

PRESO DENUNCIA COMPLÔ
PARA MATAR JANGO

Um ex-tenente da polícia uruguaia, que cumpre pena em Porto Alegre, enviou carta à Comissão Externa da Câmara – O documento, escrito pelo ex-tenente da polícia uruguaia Mario Neira Barreiro, insinua que Jango morreu envenenado.

Era talvez o fato novo que eu perseguia.

Mas a Comissão Externa da Câmara dos Deputados não escutou o preso que dizia ser ex-agente da polícia uruguaia e que teria provas de que Jango morrera envenenado. João Vicente mandou faxes para a Comissão solicitando que Mario Neira Barreiro fosse ouvido. Não foi. Por quê?

– Na minha mão não chegou nenhum fax. Os companheiros lá do Sul são muito ativos, se esse camarada fosse importante, teriam ouvido – respondeu-me o relator da Comissão, Miro Teixeira, quando o questionei sobre o assunto.

Cláudio Braga, apesar de acusado e – vim a saber depois – de ter enviado pedidos à Comissão para depor, também não foi escutado. Resolvi não perguntar o porquê a Miro Teixeira, que na certa daria a mesma resposta: "Não era importante." Decidi que iria ouvir essas e outras pessoas por minha conta. Já estava nessa e iria continuar. O pior que podia me acontecer era não chegar a lugar algum.

Mas não esqueci o que o relator da Comissão Externa me disse quando lhe perguntei sobre sua opinião pessoal a respeito da morte de João Goulart.

– *O que era da vida privada de cada um eu excluí, e partes de documentos eu destruí, como autoriza a legislação brasileira. Tinha uma desconfiança enorme, porque na América Latina, num espaço de seis a oito meses, morreram líderes políticos que, com a abertura nos países latino-americanos, poderiam voltar e empolgar o poder. E o que foi a Operação Condor? Foi isso. Quando se elege o Carter nos Estados Unidos, fica muito clara uma política de redemocratização na América Latina e aí* – apontou ele para um pacote de documentos, que devia ter pelo menos 600 folhas: era o Relatório Final da Comissão Externa – *tem um telegrama de um agente da CIA para a matriz, dizendo: "Olha, os militares latinos aqui estão se unindo numa operação para aparentemente eliminar líderes políticos que poderiam voltar a seus países e empolgar o poder". Tem também o depoimento de um brasileiro que estava preso no Uruguai, que ouvia vozes de brasileiros ajudando em interrogatórios. Fica claro que havia uma conexão absoluta dos serviços de informações. Isto está mais do que caracterizado nesses autos.*

Minha conclusão? No relatório estabeleço que não há possibilidade de se considerar um acaso, uma coincidência, a morte destes chefes de Estado, desses líderes políticos, desses ex-presidentes da República, desses senadores, ao mesmo tempo, no mesmo pedaço da terra, no Cone Sul da América Latina, e esse telegrama do agente da CIA. Mas a comissão não tem poder de Justiça.

O que nós fizemos foi consolidar o que existe de depoimentos e de documentos possíveis, até porque essas pessoas estão morrendo. O Enrique Foch Diaz, que já não bate coisa com coisa e para mim é um agente duplo, esse constrói uma maquinação envolvendo interesses. João Goulart morreu às três da manhã, o corpo dele foi colocado no caixão como estava, não foi autopsiado, as autoridades militares brasileiras proibiram abrir o caixão, o transporte do corpo não poderia ser por terra, teria que chegar de avião a São Borja, ele foi levado para o interior da igreja com o pretexto de renovar o formol, mas o pessoal queria abrir o caixão só para ver se ele estava ali mesmo. Estava espumando, uma irmã dele passou lenço, mas depois também não se sabe do lenço. O gás sarin poderia deixar vestígio até no próprio caixão, mas para fazer a exumação seria algo espetaculoso. A exumação foi pedida em 82, e agora também, mas a família negou. Uma brasileira foi assassinada no Central Park há um ou dois anos, a polícia demorou oito ou nove dias para entregar o corpo à família, porque o corpo fala, algumas bactérias vão surgindo seis horas depois da morte, oito horas, dez horas, 12 horas, dependendo da natureza da morte, surge essa pista, surge aquela, tem um mundo de exames que a polícia científica realiza e não é essa irresponsabilidade no tratamento da matéria penal que há no Brasil. Sabia que teve um cara que me ofereceu um pedaço do carro do Juscelino no dia seguinte da morte dele, de lembrança, souvenir*? Achei de extremo mau gosto. Estavam oferecendo como brinde. Isso é de uma irresponsabilidade na apuração de um fato. Os destroços daquele carro tinham que ser recolhidos, tinham que ser levados para um laboratório. E se atiraram no pneu daquele carro? Na minha conclusão eu afirmo que pode ter sido atentado. Não fui mais adiante, porque, primeiro, tinha prazo, segundo, porque Comissão é um colegiado, e, terceiro, porque nós fomos ao limite da possibilidade, porque a partir daí eu precisaria ter poder de Justiça, a partir* *daí poderia virar uma coisa promocional, foi o cuidado que eu tive de não dar entrevistas. Eu tenho minha convicção, mas como advogado e parlamentar eu tenho o dever de me limitar às provas dos autos, eu tenho a convicção de que o presidente João Goulart foi assassinado. Agora, não posso concluir dizendo que ele foi assassinado, porque eu não tenho a prova.*

– Pode responder a última pergunta? Dona Maria Thereza tinha se comprometido a depor e depois desistiu por conta de uma nota em *O Globo*, que a apontava como suspeita na morte de João Goulart. Essa não é a primeira vez que ela é acusada. O que pensa sobre isso?

– *Teve gente que prestou depoimento falando isso mesmo. O Enrique Foch Diaz a acusa claramente, mas não dá qualquer evidência factual para dizer de onde extraiu esses fatos. Depois, não acho possível que a dona Maria Thereza Goulart tenha poder para se meter na articulação da Operação Condor e programar a morte do marido no contexto da morte do Letelier e do Michelini.*

– Acompanho esse caso há muito tempo e percebo que há um momento em que todo mundo pára, a investigação não vai adiante. Esse obstáculo não será a dona Maria Thereza?

– *Param porque todo mundo tem respeito... mas isso não prova nada, nem a favor nem contra ela.*

Capítulo 11

Do diário do repórter – julho de 2000 – Em tese, tive minha pesquisa facilitada pela Comissão que apurou a morte de João Goulart. E quase simultaneamente, tive também excelente material ao ser formada em 15 de junho de 2000 uma outra Comissão Externa, esta sobre a morte de JK, por indicação do deputado Paulo Octavio Pereira (PFL/DF). A conclusão dos trabalhos foi apresentada em 25 de abril de 2001, assinada pelo deputado Osmânio Pereira (PMDB/MG), seu relator.

Tanto a Câmara dos Deputados como o governo federal deram apoio à comissão, pois as versões sobre o acidente na Rio–São Paulo confundiam a opinião pública, sobretudo quando Serafim Jardim, amigo e durante algum tempo assessor de JK, reabriu as investigações sobre o acidente, junto com o advogado Paulo Castelo Branco. Serafim publicou um livro com as hipóteses que se acumulavam contra o laudo oficial que concluíra pela fatalidade de um acidente.

Confesso que fiquei inicialmente alvoroçado, aguardando investigações mais profundas, de alto custo, um custo que eu não teria recursos para bancar. No caso de JK, por exemplo, seria necessária uma viagem minha ao Chile, passar algum tempo lá, pesquisar em arquivos de jornais, levantar o caso Letelier, que está ligado à morte de JK, a carta do general Contreras, chefe do Dina, ao general João Batista Figueiredo, chefe do SNI, alertando sobre o perigo de uma vitória de Jimmy Carter nas eleições presidenciais dos Estados Unidos.

As sessões presididas pelo deputado Paulo Octavio foram relativamente cobertas pela imprensa, tive acesso a quase todos os depoentes e, até mesmo, aos movimentos mais ostensivos das investigações.

Recebi de um conhecido, que é funcionário da Câmara, o relatório final da "Comissão Externa destinada a esclarecer em que circunstância ocorreu a morte do ex-presidente Juscelino Kubitschek, em 22 de agosto de 1976, em acidente rodoviário ocorrido na rodovia presidente Dutra, Km 165, no município de Resende".

Achei estranho, para não dizer parcial, que o nome oficial da comissão já declarasse que a morte de JK fora um "acidente ocorrido na rodovia presidente Dutra". Seria mais correto – e isento – se o nome da comissão não fosse, em si mesmo, uma conclusão. Acredito que a comissão investigaria a morte de JK, e não o acidente em si, eliminando *a priori* a possibilidade de um atentado.

Mesmo assim, a ressalva poderia ser explicada ou justificada pela falta de experiência dos deputados que integravam a comissão. Para compensar, achei pertinente o texto da apresentação, que não deixa de ser um resumo articulado de todas as dúvidas que foram levantadas a respeito da morte de JK, inclusive as dúvidas que eu próprio venho levantando há tanto tempo, para ser exato, desde 1977, quando fui procurado pelo ex-deputado Max da Costa Santos, que, à frente da editora Paz e Terra, queria que eu abandonasse meu emprego para trabalhar com ele na apuração daquela morte que estava sendo explicada como uma simples fatalidade. O ex-deputado, por sinal, fizera a mesma proposta a outros jornalistas, que não aceitaram o convite.

Transcrevo a apresentação, em que pese as numerosas repetições de atos e fatos que já foram detectados e explicitados por mim em textos e anotações anteriores.

"A criação desta Comissão Externa foi requerida pelo nobre deputado Paulo Octavio, nos termos do Artigo 38 do

Regimento Interno da Casa, para esclarecer em que circunstâncias ocorreu a morte do ex-presidente Juscelino Kubitschek, em 22 de agosto de 1976, em acidente rodoviário ocorrido na rodovia Presidente Dutra, no Km 165, no município de Resende."

As razões desse requerimento foram assim fundamentadas:

"Em 2 de agosto de 1979, o colunista norte-americano Jack Anderson denunciou no *The Washington Post*, por meio de seu artigo 'Condor – os criminosos latino-americanos', a existência de uma articulação dos órgãos de segurança de vários países do Cone Sul, apoiados pela CIA, para eliminar as personalidades políticas que se opunham às ditaduras militares da região.

Anteriormente, esse mesmo jornalista, em 1975, havia divulgado uma carta enviada pelo general chileno Manuel Contreras ao ex-presidente João Figueiredo, afirmando que era uma ameaça para a região as atividades de líderes como Orlando Letelier, ex-ministro de Allende, e do ex-presidente Juscelino Kubitschek. A eliminação posterior de Orlando Letelier foi reconhecida pela própria CIA, e a morte de Juscelino Kubitschek, em acidente rodoviário, até hoje não foi devidamente esclarecida.

A proposta articulada de forma conjunta pelo ex-presidente Juscelino juntamente com o ex-presidente João Goulart e Carlos Lacerda, todos opositores ao regime militar para a formação de uma Frente Ampla – com um claro objetivo de abreviar a vigência daquele regime e restabelecer a democracia em nosso país – , é um fato que por si só atraiu a ira da 'linha dura' do regime militar contra esses eminentes brasileiros.

O que querem, sim, familiares, amigos e correligionários do ex-presidente Juscelino Kubitschek é esclarecer as circunstâncias de sua morte, mesmo porque na ocasião não foi feita uma investigação aprofundada das circunstâncias de sua morte, além do desinteresse das autoridades do regime militar, fato inequívoco ante a condução pouco consistente das investigações sobre o acidente.

Por isso, na oportunidade em que outros países do Cone Sul têm expostos os planos de repressão articulados pelas ditaduras de então, conforme matéria publicada no *Jornal do Brasil* de 30/4/2000, é imprescindível que a Câmara dos Deputados busque também o resgate da verdade histórica sobre as circunstâncias em que se deu a morte do ex-presidente Juscelino Kubitschek, tal como ocorrido em relação ao ex-presidente João Goulart, mediante a formação de Comissão Externa da Câmara dos Deputados, de modo que o povo brasileiro possa saber a verdade sobre a morte deste grande brasileiro, recentemente escolhido Estadista do Século.

Atendendo a esse requerimento, o presidente da Câmara dos Deputados, nos termos do artigo 38 do Regimento Interno, decidiu constituir Comissão Externa destinada a, no prazo de 180 (cento e oitenta) dias, 'esclarecer em que circunstâncias ocorreu a morte do ex-presidente Juscelino Kubitschek, em 22 de agosto de 1976, em acidente rodoviário ocorrido na rodovia Presidente Dutra, no Km 165, no município de Resende'.

Esta Comissão procedeu a uma investigação dos laudos periciais produzidos à época do acidente, analisou o processo judicial instaurado para apurar a morte do ex-presidente, examinou o pedido de reabertura das investigações formulado pelo Sr. Serafim Jardim, acolheu depoimentos de pessoas que defendem as duas correntes: a de acidente automobilístico e a de assassinato, a fim de ouvir e comparar os diversos argumentos, para chegar a uma conclusão isenta.

Além disto, requisitou o auxílio de peritos da mais alta competência para investigarem as peças disponíveis no âmbito desta Comissão e apresentaram um relatório de natureza técnica sobre o acidente, considerando as duas possibilidades aqui discutidas.

Deste modo, pode a Comissão chegar a uma conclusão imparcial, calcada em argumentos técnicos, concretos, científicos, buscando afastar as dúvidas e apresentar uma explicação definitiva sobre as circunstâncias em que ocorreu a morte de Juscelino Kubitschek."

Em linhas gerais, tudo o que foi dito nesta apresentação coincide com o que apurei por conta própria, apesar das condições em que venho trabalhando, sozinho, sem recursos de qualquer patrocínio. Poderia ter aceitado a proposta de Max da Costa Santos, teria o patrocínio de uma editora importante, mas o ex-deputado morreria logo depois, e ninguém da Paz e Terra me procurou para dar seguimento ao projeto.

Fui e estou sendo obrigado muitas vezes a transformar uma especulação em pista, a pista em indício, o indício, pela sua consistência, até mesmo pela sua obviedade, em prova.

Estabelecidas as duas preliminares, a apresentação e o pedido de reabertura do caso, ouvi o depoimento de diversas pessoas, a começar por Serafim Jardim, autor do livro *Juscelino Kubitschek – onde está a verdade?*.

Tive acesso também aos depoimentos da jornalista Tânia Fusco, do advogado Paulo Castelo Branco, da filha do motorista de JK, a doutora Maria de Lourdes Ribeiro, que, impossibilitada de comparecer, enviou um relatório à comissão, e mais tarde escreveria um livro sobre o seu pai, Geraldo Ribeiro, e as relações de sua família com JK e seus parentes mais próximos.

Importância fundamental teve o depoimento do perito Sérgio Leite, do Instituto de Criminalística, que fez o levantamento oficial do local e da mecânica do fato em si. Entrevistei três vezes o perito, em espaço de dez anos, e já anotei em texto anterior o meu juízo a respeito de seu laudo. É indiscutível em seu aspecto técnico, mas centrado rigorosamente no espaço e no tempo em que se deu o desastre, com detalhes e características da estrada, da pista, das marcas deixadas pelo Opala, pelo ônibus da Viação Cometa e pela carreta que se chocaria com o Opala, provocando a morte de JK e de seu motorista.

Contudo, como já registrei, o laudo de Sérgio Leite se absteve dos antecedentes e conseqüentes do desastre, uma vez que aceitou a versão anterior feita por militares, a mando, evidentemente, dos serviços de inteligência do governo militar, versão que inclui uma parada do Opala no hotel-fazenda Vilaforte, onde, segundo consta de suas declarações, JK teria tido um encontro com uma senhora, tendo o perito declarado que não era de suas atribuições entrar na vida particular, sexual ou sentimental da principal vítima do desastre.

Esta parada no hotel-fazenda condicionou – segundo o laudo – toda a mecânica do acidente ou do atentado, uma vez que foi cômodo levantar o horário e a velocidade do ônibus da Cometa, ouvir o depoimento de alguns passageiros, do motorista Josias Nunes de Oliveira, que chegou a responder a processo judicial, sendo absolvido.

Em resumo: o perito repetiu na comissão o comentário de um jornalista: nem 20 computadores de última geração poderiam programar um acidente daquela natureza, quando o fator determinante para a morte das duas vítimas foi uma carreta que vinha na pista contrária, em direção a São Paulo.

A comissão ouviu técnicos, legistas e policiais em serviço no local, e ouviu também o ministro aposentado do Tribunal de Contas da União, Olavo Drummond, que estivera com JK no almoço em casa de Ademar de Barros Filho, horas antes da viagem em que o ex-presidente perderia a vida.

A comissão desfez facilmente duas hipóteses levantadas na ocasião: a de uma bomba colocada no Opala; e a da presença de um atirador de elite que, posicionado num determinado local, teria atingido com um projétil a cabeça do motorista de JK.

As duas hipóteses, de tão fantasiosas, impediriam outras investigações e indícios. A explosão de uma bomba foi desmentida pelo exame dos destroços do carro, onde não foram encontrados sinais de pólvora ou de fogo na carroceria.

O tiro na cabeça do motorista provocou a exumação do corpo de Geraldo Ribeiro e gerou um impacto quando, no crânio dele, foi encontrado o vestígio do que poderia ser um projétil de arma de fogo. Não era. Exames posteriores revelaram que se tratava de um prego do caixão, que, ao se decompor, ficara colado à caixa craniana da vítima.

Outra hipótese não confirmada foi a de um gatilho mecânico na suspensão do Opala. Ao parar no hotel-fazenda Vilaforte, quando JK teria tido um encontro com militares que o procuravam para uma possível abertura do regime, ou com Lúcia Pedroso, sua amante e pivô da crise conjugal que o ex-presidente atravessava, alguém teria mexido na suspensão do carro em que ele viajava, de tal forma que, ao descer a serra, mais adiante, fatalmente teria saído da pista e, pelos acidentes do terreno, provocado um acidente fatal.

O relatório final da comissão se deteve basicamente no detalhe e não no contexto do desastre. Não explica o estranho comportamento de JK nos dias que antecederam sua morte, a obstinada declaração aos amigos mais íntimos de que viajaria para Brasília naquele domingo, quando já tinha combinado com seu motorista a vinda para o Rio, uma vinda sigilosa, que ele não revelaria a ninguém, nem a seus primos Carlos Murilo e Ildeu, a Adolpho Bloch, que o hospedou em sua casa e a quem fez questão de mostrar o bilhete aéreo de seu retorno a Brasília.

Para explicar tal comportamento, a tese que ficou sendo a oficial e que dava um charme romântico à sua morte teria sido um encontro com Lúcia Pedroso em algum ponto da Rio–São Paulo, provavelmente no hotel-fazenda, ou mais adiante, sendo citada até mesmo pelo deputado Paulo Octavio, que presidia a comissão, a cidade de Petrópolis como local combinado para um encontro com a mulher que amava.

É verdade que JK vivia um caso amoroso com Lúcia, romance que já era do conhecimento de seus amigos e de grande parte da sociedade carioca e, em especial, de dona Sarah, que àquela altura estaria disposta a pedir o desquite e, conforme as circunstâncias, obter um flagrante de adultério, que no Código Civil então em vigor condenaria o marido como cônjuge culpado, sujeito ao rigor de uma lei que considerava o adultério como crime.

Sabendo disso, JK evitava se oferecer a uma degola que não lhe interessava e, na verdade, não interessava a ninguém, nem mesmo a dona Sarah. No fundo, no fundo, ele ainda mantinha a esperança de um dia, em determinado momento da abertura prometida por Geisel, ou numa crise institucional entre os militares e a sociedade civil ou mesmo entre militares e militares de diversas facções, ser chamado para uma transição – o que de fato ocorreria, nove anos após, com Tancredo Neves, uma espécie de vice de Juscelino em termos políticos, com uma trajetória que, vinda do segundo governo de Vargas, passando pela presidência do regime parlamentarista e pela sua fidelidade aos princípios da democracia liberal, era realmente o que havia de melhor para a transição.

Capítulo 12

Do diário do repórter – abril de 2002 – Comecei minha viagem para São Borja. Poderia ir a Montevidéu, Punta del Este, Maldonado, Buenos Aires, Tacuarembó, qualquer dos lugares em que Jango transitou ou morou durante os anos de seu exílio. Ou mesmo à estância de Mercedes, na Argentina, onde morreu.

Escolhi São Borja, cidade onde ele nasceu. Também está enterrado ali. Achei que perto de sua origem e, de certa forma, dele próprio, seria mais fácil encontrar respostas ou pelo menos uma lógica no intricado labirinto dos muitos indícios que me levavam a suspeitar de que ele teria sido assassinado.

Quando fui demitido do jornal e resolvi continuar, por minha conta, a investigação sobre as mortes de Juscelino, Jango e Lacerda, inicialmente optei pelo "caso Lacerda", cuja vítima eu conhecera bem, mas cujo processo nem sequer fora aberto. As dúvidas existentes sobre sua morte nunca foram formalizadas numa denúncia ou inquérito, limitando-se a suspeitas esparsas e não investigadas, nem oficial, nem oficiosamente.

Depois de Lacerda, o mais próximo com quem tivera contato profissional era João Goulart. Dos três casos, era o que ainda estava em aberto, podendo, de uma hora para outra, surgir realmente um dado novo. Um pedido de exumação, por exemplo, que seria o terceiro, uma vez que os dois anteriores foram negados, o primeiro pelo governo militar da Argentina, o segundo por dona Maria Thereza, mulher de João Goulart.

Se por acaso tivesse bom resultado na pesquisa sobre a morte de Jango, e com ele sustentasse as suspeitas de crime político, ficaria mais fácil reabrir o "caso JK" e abrir o "caso Lacerda".

Economizei o pouco dinheiro que ganhava dos meus trabalhos de *freelance*, e joguei tudo naquilo que eu próprio já começava a considerar uma aventura. Alternando avião e ônibus, hospedando-me em pensões, teria condições de financiar meus deslocamentos, perseguindo os últimos passos de meu personagem.

Diante do portão de entrada do cemitério de São Borja, numa rua de terra e malcuidada, quase não acredito que estou aqui. O trajeto foi longo. Não existe aeroporto em São Borja nem vôo direto para Uruguaiana, cidade mais próxima, onde dá para chegar de avião. Tive de ir do Rio para Porto Alegre, de Porto Alegre para Uruguaiana, com uma escala em Santo Tomé, por conta do mau tempo.

Em Uruguaiana, consegui um carro – se posso chamar de carro o veículo que me transportou. Por R$ 100,00, o motorista fez o trajeto de quase duas horas até São Borja. Foi camarada. Disse que normalmente cobra R$ 300,00. Se ele não estava em condições de cobrar, muito menos eu poderia pagar tanto.

Levei comigo a indicação de um hotel modesto, na avenida Presidente Vargas, quase ao lado da casa onde Jango nasceu. Quando me deram a dica, achei irrelevante a informação. Qual a diferença de ficar perto ou longe da casa onde Jango nasceu? Na dúvida, preferi ficar o mais próximo possível do meu assunto.

Mas ao entrar na cidade, não foi diretamente para o hotel que me dirigi. Pedi ao motorista que me deixasse no cemitério. Ele não estranhou. Pelo contrário, até perguntou se precisava de ajuda com a mala.

Eu sim. Estranhei a naturalidade com que ele atendeu a meu pedido. Depois, vim a saber que o cemitério de São Borja é, senão o único, o mais importante ponto turístico da cidade. Lá estão os túmulos de Getúlio Vargas e Jango, um ao lado do outro, ambos descuidados. Foi com espanto que verifiquei um detalhe que pouca gente sabe. No meio dos dois túmulos, está o de Gregório Fortunato, o Anjo Negro, chefe da Guarda Pessoal de Vargas e que teria sido o mandante do atentado contra Lacerda, em agosto de 1954, episódio que provocaria o suicídio do presidente da República.

"E se o corpo de Jango realmente não estiver aqui?" – foi o pensamento que me ocorreu, logo que me aproximei do jazigo de sua família. Nos muitos artigos que li sobre a morte de Jango, há referência à possibilidade de o corpo do ex-presidente não estar mais lá. Teria sido retirado para evitar a exumação, que poderia provar seu envenenamento. Achava a suspeita impossível, fantasiosa demais. Mas agora, diante do túmulo, não resisto à curiosidade. Empurro a tampa de cimento para experimentar se sozinho conseguiria removê-la.

Uma voz, de sotaque carregado, me tira do delírio:

– Precisas de ajuda?

É o coveiro. Trabalha há anos ali, perdera a noção do tempo, uns dez, talvez. Lembrava-se do enterro do "doutor" Jango, mas, naquele tempo, era menino. Seu pai fora amigo do pai dele. Realmente, contavam muitas histórias sobre o Dr. Jango, casos de aparição, de barulhos no túmulo, até de vozes. Mas nunca ouvira a história sobre o corpo ter sido retirado dali.

– Tu tens que procurar o "seu" Percy. Se alguém sabe de alguma coisa, é ele. Até hoje ele me paga para limpar o túmulo.

Percy Penalvo foi capataz de João Goulart em Tacuarembó, no Uruguai. Trabalhou com ele durante os 12 anos de exílio. Era seu homem de confiança. Tomava conta de alguns de seus negócios e costumava viajar com ele. Gaba-se de ter sido mais do que um empregado – era um amigo, "fiel até o fim". A deformação no lado esquerdo do rosto foi por conta de um tiro que levou para defender o "doutor" – é assim que ele se refere a Jango. É uma espécie de troféu.

O portão da casa amarela, na esquina da avenida Presidente Vargas, está entreaberto. Uma pequena placa de metal, presa ao muro, indica que aquela é a casa onde nasceu João Belchior Marques Goulart.

Bato palmas. Nenhuma resposta. Entro e tento a porta. Uma senhora morena, de óculos, baixinha e gordinha, atende. Explico que sou repórter, estou escrevendo sobre a morte de Jango e gostaria de conversar com Percy Penalvo.

– Vou ver se meu marido pode atender. Mas adianto que não gostamos de falar sobre esse assunto. Já nos chateamos muito – disse dona Celeste, que não demorou para ter confiança em mim e volta e meia interromperia minha conversa com o marido, para acrescentar detalhes ao que ele me contava.

Percy Penalvo estava sentado numa poltrona da sala anexa à sala de jantar. Do lado, uma cesta de vime com a cuia de chimarrão e a garrafa térmica com água quente. Ele se levanta. É um homem alto, e apesar de abatido pela doença e pela idade, tem vestígios de uma valentia que deve ter marcado sua mocidade.

Quando me cumprimenta, reparo na deformação em seu rosto e na dificuldade de fala. Mais uma vez explico minha presença ali.

– Eu não me animo a dizer que ele morreu de morte natural, como também não me animo a dizer que deram alguma coisa para ele tomar. Eu acho que mataram, mas também acho que pode ter sido morte natural.

É assim que Percy Penalvo começa a conversa. Fala baixo, quase sussurrando. Peço que aumente o tom, senão o gravador não registrará sua voz. Ele me diz que não é aconselhável falarmos alto, poderíamos estar sendo vigiados. Acho graça na observação. Mais tarde, ao me despedir no começo da noite, eu compreenderia sua cautela.

Percy Penalvo tinha voltado do exílio há anos. Mas o exílio continuava dentro dele.

– Para entender por que tenho dúvida sobre a causa da morte do doutor, é preciso compreender o que se passava no exílio. Sei que já deve ter lido sobre o assunto, ter informações que eu não tenho... mas, acredite, para quem não viveu no exílio é difícil imaginar o que seja. No Uruguai, inicialmente, tínhamos um trato melhor, porque eram dois os partidos locais, o Blanco e o Colorado. O doutor tinha mais amigos do Partido Blanco. Depois, quando o Uruguai caiu na ditadura, surgiu o movimento Tupamaro, em confronto com os direitistas da situação. A coisa então mudou. Éramos vistos como latifundiários por uns, e como comunistas por outros. O general Christí, que era um militar influente no Uruguai, queria prender o Dr. Goulart. Ele o acusava de mentor, de ser o cérebro do movimento Tupamaro. Sabíamos disso porque tínhamos amigos no meio deles. Em determinado momento, levaram preso o filho do doutor, o João Vicente, para um quartel. Cortaram-lhe os cabelos. Eles o deixaram numa barraca, exposto ao frio, num inverno bravo. Fizeram isso, uma forma de tortura, só para provocar o doutor. Outro exemplo: dona Maria Thereza foi presa porque levava uns quilos de carne na sacola, quando era proibido comprar ou carregar carne no Uruguai, devido ao forte racionamento. Houve um momento em que todos os perseguidos políticos dos países da América Latina se uniram. E os militares da ditadura também. Claro que nós levávamos a pior. A Operação Condor já era conhecida. Muita gente até hoje não acredita na existência desta operação porque não sofreu, porque não teve o pai, não teve a mãe, não teve o irmão sacrificados pela ditadura. Sabíamos que no quartel de Tacuarembó havia amigos nossos sendo torturados, inclusive por oficiais brasileiros. Havia militares do

Brasil ensinando aos militares do Uruguai como interrogar os prisioneiros. O golpe no Uruguai foi dado com o apoio brasileiro.

Dona Celeste nos interrompe, quer saber se vou ficar para o almoço. Faz questão. Ia preparar um churrasco especial. Penso em dizer que não. Bebo normalmente, fumo bastante, mas aboli a carne. Desisto de ser sincero. Aceito de bom grado o churrasco gaúcho.

Percy Penalvo pede à mulher que encha a garrafa térmica com mais água quente e continua:

– Antes de falar da Operação Condor, vou lhe contar uma história sobre o Uruguai, para ver como estavam de olho no doutor. Um dia, ele vem de avião para sua estância de Tacuarembó. Passados uns 15 minutos, chega meia dúzia de jipes, caminhonetes da polícia uruguaia, soldados com metralhadoras debaixo do braço, para procurar o cônsul brasileiro Aloysio Dias Gomide, que fora seqüestrado pelos Tupamaros. O doutor Goulart disse ao comandante do grupo que chegara há pouco e não sabia o que se passava em Tacuarembó. Mas a estância estava à disposição e podiam revistá-la. Acho que o doutor se humilhou para eles. Não devia ter consentido a inspeção. Ele era um exilado legal. Aconselhei-o que pegasse o avião e voltasse para Montevidéu, fizesse um protesto junto ao Ministério do Interior, onde tratávamos nossos assuntos e que se encarregava de garantir a segurança dos exilados. O doutor respondeu que não podia fazer isso justamente porque éramos exilados. Eu lhe disse: "Doutor, eu atravessei a fronteira correndo, clandestinamente. O senhor não. O senhor consultou o governo uruguaio se precisava levar proteção pessoal, o governo disse que não, tinha condições de garantir sua segurança, sua vida normal. E a proteção está aí."

Entra na sala a filha de Percy Penalvo, Neuza. O nome dela, explica o pai, é em homenagem à irmã de Jango e mulher de Leonel Brizola.

– Dona Neuza morreu, mas Brizola, até hoje, fica aqui em casa quando vem a São Borja.

Comento que havia reparado no pôster do ex-governador na parede da sala principal da casa. Percy não dá importância ao que digo:

– Neuza, traz a caixa com documentos sobre o doutor.

Quando ela deixa a sala, o pai explica que a filha "sabe mais sobre o doutor do que ele, guarda documentos e fotos da época que viveram no exílio. Não fosse por ela, muita coisa teria desaparecido".

Morena, magrinha, quase raquítica, aparentando mais de 30 anos, calça *jeans*, camisa amarrada na cintura, cabelo preso num rabo-de-cavalo displicente, Neuza volta à sala carregando uma caixa de papelão. Levanto-me e me ofereço para ajudá-la. Ela prefere cuidar de tudo sozinha, teve muito trabalho para organizar aquele material... Esforça-se para ser simpática. Não se importa que eu faça cópia de tudo. Também tem contatos no Uruguai, pode me indicar nomes que serão úteis na minha pesquisa.

– Neuza, mostra para ele *El crimen perfecto.*

A moça me mostra um bloco de folhas grampeadas. Em negrito, na capa: *El crimen perfecto – Enrique Foch Diaz.*

– Este não é o livro de um cidadão uruguaio que acusa dona Maria Thereza e o Cláudio Braga de terem tramado a morte de João Goulart? – pergunto.

– Este é o resumo do livro – diz Penalvo. – Não gosto de falar nesse assunto, estou te mostrando porque é uma oportunidade para esclarecer as coisas. O Foch Diaz faz acusações para atingir dona Maria Thereza e o Cláudio Braga. Mas atingiu violentamente a memória do doutor. A turma que era ligada ao doutor não gostava do comportamento da dona Maria Thereza. Não quero entrar nesse assunto familiar, mas a mulher dele costumava se referir a essa turma como "a gente do Jango". Existiam dois grupos: a gente dela e a gente do Jango. Ela andava para um lado e ele para outro. O problema é que achávamos que o doutor era apaixonado pela mulher. Quando dona Maria Thereza explodia, o doutor botava panos quentes, "a pobrezinha é meio louquinha". Ela atrapalhava bastante a vida do doutor. Tanto que se algum dia partíssemos para a luta armada, pensávamos em eliminá-la primeiro, sem que ele soubesse. Precisávamos dar sossego para que o doutor pudesse cuidar da política.

Até aí tudo bem, ela prejudicava o doutor com seu comportamento mas não acredito que conspirasse com os militares para eliminá-lo. Se ela fez parte de alguma coisa, foi com a intenção de pegar algum dinheiro, não de colocar em perigo a vida do doutor. Eu sei que o Tito, que era cozinheiro do doutor, lavava a roupa dele, pregava botão, limpava a casa, à noite ficava sentado na sala até o doutor voltar do cassino. Ele recebia cartas avisando que a madame estava conspirando com a, com b, com c, dando nomes e endereços. Aconselhávamos o Tito a não entregar as cartas para o doutor, que tudo era mentira, intriga, lambança. Jamais passaria pela cabeça da gente uma coisa dessa. Mas a verdade é que as cartas, por mais estranhas que fossem, davam a entender que estava em evolução uma trama contra o doutor...

– Está se referindo à Operação Condor?

– Estou. Num curtíssimo espaço de tempo aconteceu uma série de assassinatos na Argentina. O primeiro foi o do general Prats, chileno; eles puseram uma bomba num carro em que ele e a mulher embarcaram. Quando ligaram a chave, a bomba explodiu e a capota ficou enganchada na sacada do sétimo andar de um edifício. Isso prova que a bomba tinha um enorme poder de destruição.

Em Buenos Aires, naquele período da ditadura, se usava muita bomba. Meses depois do atentado contra o general Prats, houve uma onda de mortes, uma verdadeira matança. Todos sabíamos que um grupo – não sei se era civil ou militar –, com seis carros, às vezes mais, fazia o que chamávamos de "operativa"...

– Batida – acrescentei.

Ele concordou e continuou:

– Chegavam numa casa, prendiam quem tinham de prender, levavam e matavam. Num determinado dia, prenderam o Gutiérrez, que era presidente da Câmara dos Deputados do Uruguai, membro do Partido Blanco. Não era comunista nem coisa nenhuma. Apenas discordou dos militares e teve que se exilar na Argentina. Homem de Tacuarembó, ele recebeu ajuda do doutor para se eleger. Eram amigos. Não me lembro bem, mas acho que nesse mesmo dia, ou no seguinte, os mesmos homens que o prenderam foram ao hotel em Buenos Aires, onde nos hospedávamos, e prenderam o senador Michelini, um homem bom. Cortaram-lhe as orelhas, os dedos, arrebentaram-lhe a cabeça. Depois foram buscar o Ferreira Aldunate, ex-senador uruguaio, que chegou a ser candidato à presidência da República. Ele não estava no apartamento. Aí um jornalista brasileiro, o Flávio Tavares, amigo nosso, ficou na porta do apartamento dele, esperando que chegasse. Então saiu com o Aldunate direto para a embaixada inglesa, se não me engano. Preocupado, o Cláudio Braga me telefonou de Buenos Aires, perguntando onde estava o doutor. Disse que estava em Tacuarembó, comigo, acompanhando pelo rádio a chacina promovida pelos militares e civis ligados à ditadura. Eu menti para proteger o doutor, os telefones eram grampeados, tudo o que se fazia ou dizia era registrado pelos serviços de espionagem do governo. Na verdade, o doutor estava em Mercedes, na estância onde mais tarde morreria. Não houve tempo para dizer a verdade ao Cláudio por meio de um código. O importante era tranqüilizá-lo, dizendo que o doutor estava bem.

Chamei um piloto que trabalhava para a gente, o nome dele era Francisco Perussi, mas todos o conheciam como Pinocchio. Escrevi uma carta para o Dr. Goulart, contando tudo o que estava se passando. Lá na estância, ele não ouvia rádio nem lia jornal. Pinocchio era um desses pilotos que voavam para o Paraguai, meio aventureiro. Foi e voltou com o Dr. Goulart de noitinha. De tarde, o Cláudio Braga me telefonou novamente, dizendo que tinham ido procurar o doutor. Eu tornei a dizer que ele estava no Uruguai. O pessoal da repressão, vendo que era impossível pegar o doutor, saiu e foi apanhar o general Juan José Torres, um ex-presidente da Bolívia, derrubado pelo Banzer e que estava exilado em Buenos Aires. E o mataram. Foi quando conversei com o Dr. Goulart: "O senhor não pode voltar para a Argentina, se voltar, o senhor morre." Mas ele atendeu? De jeito algum. Era um homem bom mas muito teimoso.

– Esteve com Jango no dia da morte dele?

– No dia anterior o doutor chegou na estância, veio com a dona Maria Thereza. Fomos a Salto comprar gado. E voltamos para Tacuarembó. Eu fiquei na cidade e ele foi para a estância. No outro dia, domingo de manhã, fui buscá-lo com o piloto. Um domingo de sol quente. Fomos até Bella Union, mas eu não atravessei a fronteira. Perto do meio-dia, ele e dona Maria

Thereza passaram de lancha para a Argentina. O Peruano, um guri de 19, 20 anos, que trabalhava para o doutor, os esperava em Monte Caseros, que não é longe, deve ficar a uns 100 quilômetros de Paso de Los Libres. Eles almoçaram lá e seguiram, depois, para a estância em Mercedes.

Júlio Vieira, o capataz da estância, esperava por ele. Desde a perseguição para pegar o doutor em Buenos Aires, ele não tinha ido mais à estância, quem ia era eu. Dona Maria Thereza me contou que ela estava lendo, ele dormindo, e que escutou um grunhido, olhou e o doutor estava abraçado no travesseiro. E que ela saiu correndo gritando pelo Júlio. Tem umas coisas engraçadas. Eu nunca durmo de dia. Mas nesse dia, depois que voltei de Bella Union, não levantei o resto do dia. Acordei com o telefone, às três horas da manhã. Era o Peruano. Ele disse: "*O doutor morreu. Dona Maria quer saber onde enterrar.*"

Pedi que ela falasse com o ex-presidente argentino, o general Lanusse, que dias antes estivera com o doutor. Lanusse poderia obter a autorização oficial para tirar o corpo da Argentina. Enquanto isso, eu falaria com o pessoal no Brasil. Decidimos levar o corpo para São Borja. Quando cheguei em Paso de Los Libres, na Aduana, vindo do Uruguai, encontrei uma baita confusão. Veio então o Maneco, que era homem de confiança do doutor, e disse:

– Essa louca da dona Maria Thereza quer levar o corpo direto para o cemitério e enterrar.

– Temos que agir rápido – respondi. – Agora, o doutor não pertence mais a ela, pertence a esse povo que está aí. Vamos fazer o velório em São Borja.

Mais tarde, o João Vicente me censurou:

– A mãe me disse que tu foi culpado de trazer o corpo para São Borja. Ele queria ser enterrado em Mercedes.

– Fiz isso porque o desejo dele era voltar para São Borja – respondi. E acrescentei: – Não havia um dia em que ele não falasse em São Borja.

O doutor estava preparando a volta dele para o Brasil. Um dia, me chamou e disse: "Preciso que tu vás ao Brasil, pois conforme o tratamento que te derem, poderei avaliar como será comigo. Vou avisar o coronel Azambuja, que foi meu ajudante-de-ordens, para abrir o caminho com os milicos dele para tu chegares lá." Aí o Azambuja me mandou uma carta:

Porto Alegre, 6 de fevereiro de 1976

Percy:

Um grande abraço. Aproveito a ida do meu irmão a Tacuarembó para transmitir algumas ótimas notícias. Pela ordem, passo a relatar o sucedido, após o nosso último encontro em Montevidéu. Fui, como havia combinado contigo, procurar o coronel Solon, chefe da Polícia Federal no Rio Grande do Sul. Expus o assunto e solicitei informações do amigo. Imediatamente colocou-me a par do que havia a teu respeito, que é o seguinte:

a) tens ficha na Polícia Federal;
b) consta que foste preso após o golpe que derrubou o nosso chefe;
c) posto em liberdade por força de um *habeas corpus*, fugiste para Rivera (?), onde passaste a morar temporariamente;
d) solicitaste oficialmente asilo ao governo uruguaio e foi concedido;
e) consta seres presidente dos Sem-Terra na região de Itaqui. (...)

Deu-me outras instruções sobre como deveria me deslocar e, realmente, fui bem recebido na Polícia Federal, quando ali cheguei com o Azambuja. Aproveitei a oportunidade e perguntei ao coronel Solon o que ele pensava sobre a volta de João Goulart ao Brasil. Ele me respondeu: "Pois é, não se concebe que 12 anos depois ele permaneça fora do Brasil. O lugar dele é aqui."

Antes disso, houve uma tratativa do general Serafim Vargas no mesmo sentido, e os homens da situação propuseram confinar o doutor em São Borja. Seria o mesmo que matá-lo. O doutor é um homem inquieto. Se o Uruguai é pequeno para ele, imagine São Borja.

– Mas o confinamento não seria apenas em São Borja. Incluiria as estâncias que ele possuía em Mato Grosso – acrescentou o coronel Solon.

– Bem, isso é outra coisa. Sendo assim, ele pode ir amanhã.

– Não – retrucou Solon. – Terá de esperar a eleição que vamos realizar em outubro. Ele seria procurado pelos candidatos, que o pressionariam para que lhes desse apoio. "Jango pediu para que votassem em mim." Nós teríamos então que agir, o que criaria embaraço para ele e constrangimento para nós. Contudo, após as eleições, o ex-presidente poderia se deslocar, mas sempre em liberdade vigiada.

Eu então falei sobre o motivo de nossas preocupações:

– A situação dele é delicada, está havendo isso e aquilo em Buenos Aires – e relatei todas as mortes que tinham ocorrido naqueles últimos dias.

Disse textualmente para o coronel Solon:

– Temos a certeza de que, se o doutor for para Buenos Aires, de uma hora para outra ele sofrerá um atentado. Se não morrer num, morrerá em outro.

O coronel entendeu que eu me referia à possibilidade de um atentado contra o doutor por parte dos militares brasileiros. Garantiu que não haveria esta possibilidade. Mas reconheceu:

– Agora, que ele não está seguro, não está. Nem na Argentina nem no Uruguai.

Capítulo 13

Do diário do repórter – dezembro de 2002 – A revista *IstoÉ* publica uma pequena informação numa de suas páginas dedicada aos fatos da semana:

BATOM QUE ATIRA;
GUARDA-CHUVA ENVENENADO

Foi inaugurado neste fim de semana, em Washington, o International Spy Museum. É a primeira instituição pública dedicada à história de espionagem, com mais de 600 objetos em exibição. Visitantes terão a oportunidade de ver armas disfarçadas de batom usadas pela polícia secreta de Stalin, um guarda-chuva que atira veneno fatal e um sapato com gravador implantado. O presidente do museu, Dennis Barrie, disse que "os melhores espiões são os soviéticos. Ninguém faz melhor".

---

*

No período mais agudo da Guerra Fria, o alvo prioritário da CIA, do FBI, do Departamento de Estado norte-americano e de diversos grupos de exilados cubanos era Fidel Castro. Foram inúmeras as tentativas de assassiná-lo. Daí que a maior parte da verba destinada à segurança de Cuba fosse gasta com a segurança do seu comandante. Os atentados fracassaram por um motivo ou outro, mas houve um que não foi consumado por motivos que escaparam da vigilância contínua e integral do regime cubano.

Um jornalista japonês solicitou entrevista com Fidel, driblou todos os esquemas de triagem, foi revistado truculentamente, sua vida levantada, passou duas semanas em rigorosa observação, confinado num cubículo em que era vigiado dia e noite. Finalmente liberado, foi marcada a entrevista, Fidel o recebeu em seu gabinete à prova de qualquer surpresa, foto, gravação ou atentado.

A entrevista corria normalmente, o jornalista tomando nota num bloco, com uma caneta também japonesa. Tanto a caneta como o bloco haviam sido examinados pelos peritos da segurança máxima do Estado.

De repente, o jornalista parou de tomar nota, encarou o comandante e lhe entregou a caneta. Era uma arma, com uma única bala contendo veneno letal. Por diversas vezes, durante a entrevista, tentara disparar a arma contra Fidel, à queima-roupa, mas não tivera coragem. Por dois motivos: achava que não valia a pena matar o seu entrevistado; e teria de se suicidar em seguida, mordendo uma cápsula contendo cianureto, dentro do segundo molar inferior, do lado esquerdo.

*

Pulando no tempo, Napoleão Bonaparte teve como *causa mortis* uma doença no intestino, provavelmente câncer. Durante quase um século a versão oficial não foi contestada. Até que surgiu uma senhora inglesa cujo pai servira sob as ordens de Hudson Lowe, responsável pelo prisioneiro em Santa Helena. Essa senhora, quando criança, havia guardado um fio de cabelo do imperador. Morando naquela ilha, foi despedir-se de Napoleão quando o pai dela regressou definitivamente à Inglaterra. Como tinha os cabelos longos, o imperador pediu licença para cortar um pequeno cacho, a fim de guardar como lembrança da menina que o visitava quase todos os dias. A menina barganhou, deixou que ele cortasse um pouco de seus cabelos mas pediu que Napoleão a deixasse fazer o mesmo. Apesar de quase calvo, ele concordou que a menina lhe cortasse uns fios dos ralos cabelos que nem mais faziam a célebre franja na testa.

Pesquisadores levaram o fio de cabelo para exames e constataram vestígios de arsênico. E a certeza de que Napoleão fora envenenado lentamente pelos seus carcereiros.

*

Quando Stalin morreu em sua *datcha* de Kuntsevo, em 5 de março de 1953, houve perplexidade em todo o mundo pela demora com que o fato foi anunciado. A desculpa que os altos hierarcas do regime comunista deram pela demora foi a de evitar o impacto na alma do povo russo, que idolatrava o Guia Genial dos Povos. Houve até quem temesse que o Sol não nasceria no dia seguinte, a morte de Stalin desestabilizava não apenas a História mas o próprio Universo.

Como acontece sempre que um ditador morre, a sucessão foi complicada, cheia de golpes, baixos alguns, baixíssimos outros. Evidente que os serviços de inteligência dos principais países, sobretudo os dos Estados Unidos, Inglaterra, França, China e Alemanha, investigaram a possibilidade de um assassinato, mas as coisas no Kremlin daquele tempo corriam sob controle do pequeno grupo que integrava o primeiro escalão de Stalin, um anel de aço impedindo que os movimentos no núcleo se propagassem para a periferia.

Cinqüenta anos após a morte do *Pápuska* Stalin, o historiador russo Edvard Radiznski afirma que, tal como no caso de Napoleão, o ditador soviético foi envenenado. O responsável seria o comandante da sua guarda, o coronel I, Khrustalev, a mando de Béria.

Radiznski está baseado no testemunho de Piotra Lozgachev, um dos guardas próximos de Stalin. Na noite de 28 de fevereiro de 1953, o ditador assistira a um filme na cabine do Kremlin, em companhia de seu estado-maior: Béria, Nikita Kruchev, Georgii Malenkov e Nicolay Bulganin. Em seguida, foram jantar na *datcha* de Kuntsevo, nas proximidades de Moscou. Após a retirada dos convidados, na madrugada do dia 1º de março, Stalin teria dado ordens para que seus guardas fossem dormir, mas, segundo Lozgachev, a ordem não partira do ditador, mas do chefe da guarda, Khrustalev.

No dia seguinte, os guardas ficaram preocupados porque passava do meio-dia e Stalin ainda não saíra do quarto. Ninguém se atrevia a incomodá-lo. Às 22h30, Lozgachev decidiu verificar o que se passava e encontrou Stalin caído no chão, sem conseguir falar. Os guardas avisaram aos dirigentes mas eles não quiseram chamar os médicos.

Um deles, Béria, disse: "Vocês não estão vendo que o camarada Stalin está dormindo?" Quando os médicos chegaram, já 14 horas haviam-se passado desde que Stalin sofrera, segundo laudo oficial, uma hemorragia cerebral.

Esses teriam sido os fatos, bastante prováveis, por sinal, para quem conhece os bastidores de qualquer poder ditatorial. O historiador russo que levantou o caso atribui o atentado ao receio que os assessores mais imediatos de Stalin tinham de uma Terceira Guerra Mundial, para a qual a União Soviética ainda não estava preparada. Julgavam que Stalin, no início dos anos 50, estaria saudoso do prestígio e da glória de ter resistido a Hitler e o derrotado: soldados russos foram os primeiros a penetrar no *bunker* de Postsdam Platz, onde o líder nazista se suicidara pouco antes.

Stalin capitalizou, com justiça, é bom que se diga, o heroísmo da resistência e a definitiva vitória sobre Hitler, embora ao altíssimo custo de milhões de russos que deram suas vidas para o triunfo final. No começo dos anos 50, ele manobrava sub-repticiamente para um confronto com seus antigos aliados, confiando na obstinada resistência do povo russo em vencer aqueles que ousavam pisar em seu território, fossem eles um Napoleão Bonaparte ou um Adolf Hitler.

Enquanto Stalin manobrava com os olhos postos na história e na sua biografia, os hierarcas do Kremlin não sabiam o que fazer para deter a megalomania do chefe. Ele não se convenceria com nenhum argumento de ordem técnica ou política. Desejava passar à posteridade como o maior nome do século XX. A única maneira de detê-lo era eliminá-lo com todas as honras a que tinha direito.

A teoria do historiador Radiznski poderá ser comprovada um dia, mas a verdade é que, no contexto da situação soviética e mundial, a liderança de Stalin já estava exausta, e a corte de um ditador alimenta toda espécie de víboras que desejam sucedê-lo. Tanto foi verdade que a nova ordem que assumiu o poder no Kremlin, sob o comando de Kruchev, na primeira oportunidade se livrou de Béria, condenando-o ao fuzilamento.

*

Relaciono esses fatos aparentemente aleatórios, no tempo e no espaço, e poderia citar uma centena de casos parecidos, para dar exemplos da mistificação de muitas mortes que tiveram explicação natural e legal, mas foram provocadas por grupos interessados em eliminar adversários, inimigos, rivais ou pessoas que se tornaram incômodas em determinado contexto.

Voltando aos casos que decidi pesquisar, as mortes de JK, Jango e Lacerda: com exceção deste último, cujo desaparecimento até agora não foi objeto de inquérito ou de comissão, os casos de JK e Jango não apenas provocaram processos. Pessoalmente acompanhei, como jornalista desativado, os trabalhos das duas comissões encarregadas de apurar as circunstâncias do desaparecimento dos dois ex-presidentes.

Tanto no primeiro como no segundo caso, foram registradas falhas de conteúdo e forma, não por desonestidade dos deputados encarregados das investigações, mas por imperícia, falta de técnica específica e, acima de tudo, constrangimento em invadir a vida particular de um e de outro ex-presidente e de sua família.

No caso de Jango, a Comissão Externa da Câmara dos Deputados, ao contrário de uma CPI, sem poder de Justiça, convidando mas não podendo obrigar ninguém a depor, deteve-se quando se tornou necessário ouvir o depoimento de sua viúva, única pessoa que confessadamente estava com Jango na noite e na ocasião de sua morte. Compreende-se o constrangimento da Comissão, uma vez que dona Maria Thereza Goulart, sem provas concretas, na base do disse-me-disse, seria acusada por muitos dos ex-amigos e companheiros do marido de ter participado de um crime que também não ficou definitivamente provado.

O fato de por duas vezes ter sido negada a exumação do cadáver de Jango, uma das vezes pela própria família do ex-presidente, serviu para ampliar as suspeitas. E a confusa partilha dos bens deixados por ele criou cisões e provocaria processos entre seus procuradores, advogados e auxiliares.

A soma de tudo isso impediu que a Comissão chegasse a uma conclusão. O relator, Miro Teixeira, invocando a condição de parlamentar e advogado, declarou que só poderia chegar a um resultado diante de provas concretas e insofismáveis, mas deixou clara sua posição pessoal: diante de tantos indícios, ele acreditava que Jango tinha sido assassinado.

Mais contundente foi o ex-governador Miguel Arraes, que, em seu depoimento à Comissão, mandou os fatos às favas, dizendo textualmente que Jango foi realmente assassinado e que os fatos, apurados ou não, constituem uma questão à parte.

No caso de JK, contrariamente ao de Jango, amigos e familiares revelaram o propósito de investigar o desastre que o matou, mas sobretudo nos meados dos anos 90, este propósito até certo ponto prejudicou as investigações, com o surgimento de hipóteses descabidas, que não se confirmaram e tumultuaram mais ainda a questão. Foi o caso da bomba que teria explodido no carro, do atirador de elite que teria alvejado o motorista na cabeça ou um dos pneus dianteiros.

De tudo o que presenciei no Médico Legal, na noite de 22 de agosto de 1976, quando se aguardava a chegada do corpo de JK, de tudo o que li e ouvi durante tantos anos, cheguei à certeza de que oficialmente jamais se chegará a uma conclusão, e que a verdade só será obtida pelo esforço e pela sorte de um pesquisador pirata, desvinculado de qualquer mandato oficial ou oficioso.

Para dar um exemplo que não tem identidade mas analogia com a morte dos três, citaria o caso Watergate, nos Estados Unidos. Não foi a polícia nem os órgãos oficiais de inteligência e investigação dos Estados Unidos que descobriram e divulgaram a escuta clandestina nos escritórios do Partido Democrático situados naquele edifício à margem do rio Potomac. Foram dois jornalistas do *The Washington Post*, que ameaçaram seus empregos e até mesmo seus pescoços na investigação daquele delito, atribuído pessoalmente ao presidente Nixon, que, ameaçado de *impeachment*, foi obrigado a renunciar.

Tem mais: a partir de certa etapa das investigações, o principal informante dos dois jornalistas foi um personagem misterioso, cuja identidade até hoje não foi apurada, e que ganharia o codinome de *Deep Throat* (Garganta Profunda).

Aproveitando a deixa: o deputado Neiva Moreira, também cassado e exilado pelo movimento militar de 64, apresentou a João Goulart, na sua estância do Uruguai, uma lista em que estavam relacionadas as principais lideranças políticas da América Latina que deveriam ser eliminadas. Os nomes de Goulart e Brizola constavam da lista. Perguntado na Comissão Externa da Câmara dos Deputados, e sucessivamente por amigos mais chegados à sua causa e pessoa, ele declarou que não podia citar sua fonte, esclarecia apenas que se tratava de um diplomata ainda em exercício, e que ele se obrigara a mencionar pelo codinome de "X-9".

"Garganta Profunda" *ou* "X-9" podem até ser uma colagem de diversos informantes, mas não importa se o codinome era individual ou coletivo. Importa a veracidade da informação que transmitiam. No caso Watergate, houve total confirmação dos fatos. No caso do X-9, embora os detalhes e a operação em si não estejam ou não possam ser provados, o resultado final (a morte dos líderes) aconteceu realmente, num período de tempo que se ajusta ao aviso do misterioso informante escondido sob o codinome do famoso agente da ficção policial.

A morte de Carlos Lacerda, contudo, não foi anunciada como a dos dois ex-presidentes. Nenhuma suspeita surgiu, embora muitas pessoas ligadas a ele ou à vida pública daqueles anos tenham estranhado, primeiro, a coincidência das três mortes dos signatários da Frente Ampla; segundo, a rapidez com que seu quadro clínico passou de uma simples gripe com dores nas articulações para o quadro final de um óbito, em apenas poucas horas de internação numa das clínicas particulares mais conceituadas do país.

Por isso mesmo, sua morte foi a que mais me preocupou, uma vez que não havia depoimentos, suspeitas e muito menos evidências de uma negligência proposital ou casual que precipitasse a deterioração de seu quadro clínico.

Farei um texto à parte sobre as circunstâncias que apurei junto à clínica e aos médicos que o atenderam. Mas desde agora, neste *intermezzo*, que ocorre no contexto político da época, a figura de Carlos Lacerda era a que mais ameaçava o regime militar.

Foi ele o responsável direto ou indireto pela deposição de três presidentes da República: Vargas, Jânio e Jango. Apelidado por seus adversários e inimigos de "O Corvo da Rua do Lavradio", referência ao endereço da *Tribuna da Imprensa*, jornal de sua propriedade e veículo principal de suas campanhas demolidoras, Lacerda era o porta-voz mais categorizado da extrema-direita, apesar de ter atuado, quando moço, na Juventude Comunista.

Seu prontuário no Departamento de Ordem Política e Social (Dops) tem momentos de intensa investigação em dois regimes que combateu: o da ditadura Vargas, a partir de 1935 até a queda do ditador, em 1945; e a partir da criação da Frente Ampla, em 1967, quando, abandonando seus amigos e companheiros da direita e da extrema-direita, teve seus passos seguidos em regime de tempo integral pela polícia política e pelos serviços de inteligência do Exército, uma vez que se juntou a elementos do Partido Comunista que aceitariam até mesmo ser liderados por ele numa campanha contra os militares, acenando, inclusive, com a possibilidade de, restaurada a democracia no país, seu nome ser lançado como candidato à presidência da República pela grande coligação de forças populares e políticas que teriam derrubado a ditadura.

O exame das fichas obtidas no Dops revela a prioridade dos órgãos de segurança em monitorar seus encontros, telefonemas, viagens e até mesmo seu lazer em seu sítio no Rocio, nas vizinhanças de Petrópolis, onde cultivava roseiras. A 15 de maio de 1977, sete dias antes de morrer, ferido no dedo polegar da mão direita, ele ditaria para sua secretária, Maria do Carmo Evangelhista, uma carta agradecendo a um crítico literário da *Folha de S.Paulo* que naquele mesmo dia publicara um artigo elogioso ao seu último livro. Mas não pôde assiná-la – segundo a secretária, por causa de "seu estado de saúde", que colocou este impedimento com a própria letra.

Impressionante, também, foi o pavor que a Frente Ampla, em parte criação sua, causara ao regime militar. Desfeita pelo governo, representou realmente o risco mais grave à continuação da ditadura. Ao ser preso, em dezembro de 1968, prestou longo depoimento a uma junta de militares, e todas – todas mesmo – as perguntas que lhe foram feitas eram referentes à Frente Ampla.

Numa das respostas, Lacerda declarou-se vencido temporariamente. Não podia representar qualquer perigo na situação em que estava, preso, com seus direitos políticos suspensos por dez anos, vigiado severamente em todos os seus passos, com telefones grampeados e correspondência violada. Contudo, num arroubo de valentia que lhe era próprio, declarou que, tão logo tivesse condições, tudo faria, inclusive arriscando a própria vida, para derrubar o regime autoritário.

Não se tratava de uma bravata. As principais lideranças do governo militar eram, de uma forma ou de outra, oriundas do lacerdismo mais radical, conheciam e respeitavam, mais que isso, admiravam seu poder de fogo, sua capacidade demolidora.

Com a lenta e gradual abertura do regime promovida pelo presidente Ernesto Geisel, com o fim da suspensão de seus direitos políticos em 1978, nada de admirar que, um ano antes, ele fosse incluído entre aqueles que poderiam mobilizar contra os militares a opinião pública, que necessitava apenas de uma poderosa liderança, que Lacerda saberia exercer, pela primeira vez em sua vida reunindo em torno de si o espectro político da nação.

Capítulo 14

Do diário do repórter – maio de 2002 – Estou em São Borja. Acabo de sair da casa de Percy Penalvo. É quase ao lado do hotel, mas, quando entro na recepção, tenho a impressão de que caminhei quilômetros.

Sinto-me atordoado. Percy Penalvo deu-me ainda mais certeza: o ex-presidente João Goulart foi assassinado numa operação que pretendeu eliminar líderes políticos na América Latina que poderiam ameaçar a abertura do regime militar. Mas Percy não me deu o que mais precisava: a prova. Compactuava com minha teoria, no entanto frisou: "Não me animo a dizer que o doutor foi assassinado."

Peço a chave do quarto 107. O recepcionista me entrega um bilhete: "Verônica ligou." Devia ter acontecido alguma coisa séria. Ela não gostava de ligar. Aliás, isso era o que mais apreciava nela. Não era inconveniente. Respeitava meu silêncio. Respeitava minha solidão. Principalmente quando sabia que eu estava mergulhado no meu assunto, que se transformara em obsessão. Eu vivia deprimido, ela sabia. Não queria ser incomodado enquanto percorria meu caminho sem volta. E ela, a seu modo, me ajudava.

Liguei, assim que entrei no quarto. Tinha chegado um telegrama de Porto Alegre, urgente. Verônica sabia que eu esperava por isso há tanto tempo, achou que devia me avisar.

Depois do término da Comissão destinada a esclarecer em que circunstâncias ocorreu a morte de João Goulart, decidi procurar pessoas que não haviam sido ouvidas e também algumas que depuseram, mas com as quais gostaria de conversar pessoalmente – para, quem sabe, obter informações que talvez tenham preferido não revelar aos deputados.

Fui atrás do ex-tenente da Polícia Secreta do Uruguai, preso em Porto Alegre, citado pelo *Zero Hora* numa matéria publicada na época da Comissão da Câmara dos Deputados. Em sua edição de 21 de junho de 2000, o jornal dizia que ele escrevera uma carta à Comissão na qual afirmava que Jango morrera envenenado.

Miro Teixeira, o relator da Comissão, garantiu-me que esta carta jamais chegara às suas mãos. Muito menos os faxes que João Vicente me mostrou, endereçados à Comissão, solicitando que o preso fosse ouvido. Na época em que conversei com o deputado, ele me disse que, se eu lhe enviasse cópias desses faxes, daria um jeito para que o preso fosse escutado, mesmo já tendo sido encerrada a Comissão. Foi o que fiz imediatamente. Mas o contexto político, comprometido com as eleições marcadas para outubro próximo, absorveu Miro Teixeira integralmente, não lhe sobrando tempo para cumprir a promessa.

A melhor maneira de começar a busca a Ronald Mário Neira Barreiro, nome citado pela matéria, era óbvia: ligar para o Presídio Central de Porto Alegre. Lá me informaram que teria de telefonar para a Divisão de Controle Legal, a fim de localizar o preso, saber se tinha advogado ou não e outros detalhes que me permitissem o contato com ele. Depois de duas ou três ligações, mais três ou quatro transferências de ramais, me informaram: essa pessoa ficou registrada aqui com sete nomes diferentes: Mário Ronaldo Barreiro Neira, Antônio Meireles Lopes, Ronald Mário Neira Barreiro e outros. Está na Penitenciária de Alta Segurança de Charqueadas, a mais ou menos uma hora de Porto Alegre. Não adiantava solicitar qualquer autorização para entrevistá-lo, antes que ele próprio concordasse.

– Tudo bem. Mas como conseguir a concordância dele? – perguntei ao quarto funcionário que falava comigo.

– O único jeito é mandar uma carta para ele no presídio: RS 405 Km 3 – Charqueadas – Rio Grande do Sul.

– Qual é a chance de a carta chegar até ele? – insisti.

– Que chega, chega. Agora, se ele vai responder é outra história...

Era perda de tempo continuar aquela conversa. Agradeci e me resignei a escrever uma carta para quem não sabia sequer o nome correto. Não sei por quê, optei por Antônio Meireles. Verônica me disse:

– Sabe quando esse preso vai responder? Nunca. Desista.

Não respondi. Não tinha o que responder. Claro que queria a entrevista, mas também se não conseguisse... Tanta coisa já não tinha dado certo... mais uma, menos uma... Verônica entendeu. Não falou mais no assunto, até aquele dia.

– Posso abrir? – perguntou ela.

Claro! Leia para mim.

"*Favor entrar em contato com as advogadas do Sr. Antônio Meirelles, Dras. Maria Helena ou Fernanda.*" E havia os números de telefone das duas.

Desliguei rapidamente e emendei uma ligação na outra.

– Por favor, a Dra. Maria Helena ou a Dra. Fernanda.

– Sou eu, Maria Helena.

Expliquei que tinha recebido o telegrama, estava ligando para saber a possibilidade de entrevistar Antônio Meireles.

– O senhor me diz quando pode vir a Porto Alegre para eu pedir autorização à Susepe (Superintendência dos Serviços Penitenciários). Mas já aviso que tem um repórter da revista *Veja* que também está interessado nessa entrevista. Mandou umas perguntas que já estão respondidas. O que posso fazer é esperar que ele chegue aqui, antes de mandar as respostas.

Estranhei a objetividade e a rapidez da decisão da advogada. Achei que fosse mais complicado. Também estranhei o comentário sobre o repórter da *Veja*. Não podia imaginar que a revista estivesse interessada no assunto. A única referência que tinha sobre o preso era a da matéria do *Zero Hora*, mas em 2000. Por que somente agora a revista se interessaria? Talvez pelo mesmo motivo que eu: acabou a comissão, saiu o relatório. Mesmo assim... Será que o tal Meireles estava querendo dinheiro? Se a questão fosse essa, não teria jogo. Além de não ter dinheiro, não concordava com isso, não era ético. Tinha perdido minha credibilidade profissional, mas não a ética.

Não comentei o problema com a advogada. Melhor discutir o assunto pessoalmente. Disse que estava em São Borja, precisaria de mais alguns dias, mas teria de passar por Porto Alegre, antes de voltar para o Rio. Era a oportunidade. Assim ficou combinado.

Do diário do repórter – Porto Alegre, 18 de junho de 2002, 8 horas – O telefone toca. A recepcionista avisa: "A Sra. Fernanda o aguarda." Desci imediatamente. Encontro na recepção uma moça morena, bonita, longe dos 30 anos, vestindo um sobretudo de lã preto – estava frio, muito frio, e chovia. Impressionou-me. Como podia uma menina como aquela estar envolvida com presos, presídios de alta segurança.

– Prazer. Sou Fernanda, trabalho com a Maria Helena. Ela está nos esperando no carro – disse-me a advogada, sorrindo.

Limitei-me a acenar com a cabeça e a estender-lhe a mão. Quando respondeu ao cumprimento, notei que tinha aliança no dedo anular direito. Era noiva. E daí? Mesmo que não fosse. Há muito não tinha chance com ninguém nem com nada. Não tinha chance nem com a própria vida. Tinha a Verônica... que não chegava a ser uma chance. Era um encontro de semelhantes. Éramos obsessivos. Eu pela minha busca, ela, não por mim, mas pela minha obsessão.

Maria Helena era uma senhora, mais de 40 anos. Explicou-me que tinha um escritório e que Fernanda começara há pouco a trabalhar com ela: "É nova, mas competente, firme em suas opiniões, às vezes, até mais do que eu."

Quis saber o porquê de o cliente delas... qual era o verdadeiro nome dele? Parece que tem vários...

– O nome verdadeiro dele é Mário Ronald Neira Barreiro, mas está registrado no presídio como Antônio Meireles; aliás, esse é um dos motivos pelos quais está preso – respondeu Maria Helena.

– Mas falsidade ideológica não leva ninguém a uma penitenciária de alta segurança...

– Ele é considerado indivíduo de alta periculosidade. Também responde por formação de quadrilha, receptação dolosa, uso de armas proibidas e porte de tóxico. Antes, estava no Presídio Central de Porto Alegre. Depois que abriu a boca sobre a morte do presidente (João Goulart), foi transferido para a Pasc (Penitenciária de Alta Segurança de Charqueadas). Não tem muito tempo que pegamos o caso dele, estamos tentando a troca de regime. Também corre um inquérito de extradição contra ele – informou Maria Helena, enquanto Fernanda abria uma pasta e me entregava documentos relativos aos processos do preso.

Antes que eu começasse a folheá-los, Maria Helena disse:

– Vou ser muito sincera. Por mim, o Mário não falava com o senhor e nem respondia nada ao repórter da *Veja*. Isso pode prejudicá-lo. A partir do momento em que ele assume que integrava o grupo que assassinou João Goulart, terá que responder por mais um crime.

– Mas não está provado que João Goulart foi assassinado. Houve até uma comissão em 2000 que não chegou a essa conclusão, apesar de os indícios serem fortes. Ele tem provas?

– Ele diz que tem. Já nos relatou, mas nunca nos mostrou nada, além de um livro, manuscrito, em que conta com detalhes como foi feita a operação para eliminar João Goulart. Também entramos na Justiça com um pedido para a publicação do livro.

Comecei então a folhear os documentos que Fernanda me entregara. Lá estava, dirigido ao juiz de direito da Vara de Execuções Criminais do Foro Central de Porto Alegre/RS, o pedido de autorização para a publicação de livro, que exaltava a "biografia do réu":

Primeiro, devem ser ressaltados alguns esclarecimentos sobre a biografia do réu: Mário Ronald Neira Barreiro pertenceu ao serviço secreto do Uruguai, desempenhando funções como policial e militar, formando parte da polícia das forças armadas, além de outras instituições em que foi implantado. Era conhecido como "Tenente Tamuz".

Em conseqüência de suas atividades acima citadas, presenciando inúmeras ocorrências da história de nosso país, algumas não esclarecidas até a presente data, resolveu escrever um livro com detalhes de todas as operações secretas do governo brasileiro do período da ditadura militar, as quais possuíam estreitas relações com o serviço secreto uruguaio, revelando "sórdidas atividades de inteligência" que ocorreram no referido período.

O referido livro esclarece a morte do ex-presidente brasileiro João Goulart (Operação Escorpião), além das faça-

> nhas ilegais que aconteceram na chamada época de "chumbo" e que ainda não estão totalmente esclarecidas, e de outras que continuam acontecendo com a mesma cobertura e impunemente burlam nossa ingênua democracia.
>
> Saliente-se que o referido livro fora escrito há alguns anos, tendo sido destruído por autoridades uruguaias, quando descoberto na residência de um amigo do réu, o qual também está sendo alvo de perseguições políticas (...).
>
> Porto Alegre, 27 de março de 2002.
>
> **Bel. Maria Helena Ferreira Viegas**
>
> **Bel. Fernanda Fernandes Leal.**

Num documento em anexo, o próprio preso explicava ao juiz da VEC (Vara de Execuções Criminais) de Porto Alegre, Fernando Flores Cabral:

> Tenho finalizado o manuscrito em português, de um livro de minha lavra que titulei "Morte premeditada" e refere-se às sórdidas e ilícitas atividades exercidas pelos Serviços Secretos da América Latina durante as ditaduras militares e outras não menos repugnantes e acobertadas que acontecem ainda no presente e burlam sorrateiramente a ingênua democracia e lesam contraditoriamente a sociedade a quem de ônus deveriam proteger. (*sic*)
>
> O tema principal do livro é a revelação do covarde e premeditado assassinato de que foi vítima o ex-presidente brasileiro João Belchior Marques Goulart, solicitado pelo Dops do Brasil a seus pares e vizinhos, não tão conhecidos

mas não menos sinistros, do Serviço Secreto do Uruguai no entorno de um acordo escuso e criminal.
O macabro estratagema foi sutilmente articulado por interesses alienígenas, coordenado entre os Serviços Secretos de três países e executado por uma equipe seleta de "Agentes Especiais" do Grupo Gamma da elite da Inteligência do Uruguai. A ação, que seria classificada de "ultra-secreta", foi chamada de "Operação Escorpião", contou com a cobertura do tão negado "Plano Condor" e teve o patrocínio econômico da CIA, que, como sempre, estava por trás dando conselhos e indicações, fingindo-se de aliada e filantrópica, mas não com muito claras intenções e sim com escusos interesses de tirar vantagens da situação. (...) Para sustentar as minhas afirmações tenho provas irrefutáveis em minha posse, como por exemplo 40 horas de conversações inauditas gravadas sub-repticiamente com o ex-mandatário nos últimos anos de seu exílio e dados exclusivos que são de conhecimento somente de alguns dos parentes mais chegados a Jango e dos poucos agentes envolvidos no acontecimento secreto que ainda estão com vida (...).

Mário N. Barreiro
Charqueadas, 22 de março de 2002

Num texto prejudicado, com erros de português e de concordância, talvez por ser uruguaio, e com visível esforço em impressionar as autoridades competentes, Mário Neira Barreiro era a testemunha que eu procurava há anos! E tinha provas! Pelo menos era o que dizia.

– Vocês já viram e ouviram essas fitas? – perguntei às advogadas.

– Não, ele apenas nos disse que tem e que estão escondidas – respondeu Fernanda.

– E vocês acreditaram! E se ele estiver mentindo? Os antecedentes dele não ajudam. Como o conheceram e se tornaram advogadas dele?

– Bem, sou advogada criminalista há muitos anos. Tenho clientes na Pasc e um deles, o Papagaio, me pediu que ajudasse o Mário e um amigo dele, o Ricardo Anacleto, também uruguaio, que está na mesma situação: responde por formação de quadrilha, receptação dolosa, uso de armas proibidas e porte de tóxicos. Tem pedido de extradição também contra ele. Nem cobramos nada. Já ouviu falar do Papagaio? – perguntou Maria Helena.

– Papagaio? – tive de ser sincero. – Não, nunca tinha ouvido falar no Papagaio.

– Aqui no Sul, ele é uma espécie de Fernandinho Beira-Mar. Manda no presídio, nos presos, controla os celulares usados na penitenciária, tem muito dinheiro. E ai de quem não cumprir as ordens dele. Na época em que estavam apreendendo celulares em vários presídios, eu avisei ao Papagaio para tomar cuidado. Sabe o que ele me disse? "Doutora, não se preocupe não. Aqui não acontece nada comigo. Para eu cair, muita gente lá de cima tem de cair primeiro." – disse a advogada.

A vantagem de não se ter nada a perder é justamente não ter nada a perder, pode-se arriscar tudo. Nenhuma dificuldade em conseguir autorização para entrar numa penitenciária de alta segurança e entrevistar um preso, considerado de alta periculosidade, porém, protegido pelo Fernandinho Beira-Mar do Sul. Mais: meu entrevistado teria participado da Operação que assassinou João Goulart. Mais ainda: tinha provas disso.

Aí está o problema de não se ter nada a perder. Poderia desistir de tudo, voltar para casa, escrever um romance sobre aquela história fantasiosa que começava a se desenrolar na minha frente. Mas não, agora, iria até o fim. Era nisso que pensava, quando Fernanda me trouxe de volta à realidade.

– Daqui a uns 20 minutos estaremos na Pasc.

Não respondi. Decidi que não perguntaria mais nada. Não queria escutar alguma coisa que pudesse me dar a certeza de que estava entrando numa furada. Até porque, apesar dos indícios, poderia não estar entrando numa furada. Resolvi que iria pagar para ver. Ridículo por ridículo, tanto me fazia.

Voltei a folhear os documentos. Havia a ementa que deferia o pedido do governo da República Oriental do Uruguai para extradição de Ronald Neira Barreiro e de Ricardo Anacleto Ruiz Mendieta, assinada, em 21 de março de 2001, pelo ministro Carlos Velloso, presidente do Supremo Tribunal Federal, e pelo ministro do STF, Néri da Silveira. Em seu relatório, Silveira explicava o porquê de o governo do Uruguai pedir a extradição dos presos: eram delitos vários, mas comuns, sem caráter político. Um trecho explícito: "*Opondo-se ao pedido de extradição por temer atos atentatórios contra sua integridade física e sua própria vida; e atribuindo as acusações à perseguição política que vem sofrendo por ter participado, no período do regime militar, de operações de repressão aos opositores do governo uruguaio daquela época, o que o levou, aliás, a buscar abrigo em nosso país.*"

Os dois ministros concediam a extradição dos presos solicitada pelo governo uruguaio. Encontrei também a contestação apresentada por Maria Helena e Fernanda ao inquérito policial de expulsão de Ronald Neira Barreiro. Nela, as advogadas se referiam no item "Da Perseguição Política e Risco do Indiciado" a um "*convite da revista* Veja, *através do repórter Cláudio Carvalho, a fim de que o indiciado concedesse entrevista relatando todas as situações-limite vividas pelo mesmo na época da ditadura militar, o que não se concretizou até a presente data, tendo em vista estar preso no país e receoso de que seja expulso e morto em seu país de origem."*

– Tiveram contato com esse jornalista da *Veja*?

Maria Helena tomou a iniciativa.

– Não. Mas o Mário nos mostrou o questionário que lhe foi enviado. Parece que esse jornalista esteve com ele na época em que ainda estava no Presídio Central, leu o livro e fez algumas perguntas por escrito. Quando pegamos o caso, formulamos outras perguntas a que o Mário também respondeu. O questionário do jornalista tem umas 100 perguntas e respostas. O Mário ficou com medo de devolver o questionário e ser punido depois da publicação, tal como escrevemos na defesa.

– Mas vocês não falaram com o jornalista?

– Não.

– Como puderam fazer uma defesa em cima de um fato sem checar?

– Se eu suspeitar que meu cliente está mentindo para mim, não posso defendê-lo.

Achei melhor cortar a conversa por ali. O que menos queria era me desentender com as advogadas.

– Desculpe-me, tem razão. Isso é mania de repórter. Não tive intenção de ser indelicado.

Voltei a folhear os documentos. Eram vários. Logo em seguida, Fernanda me chamou a atenção:

– Está vendo aquela construção ali? É a Pasc.

Um pouco adiante, Maria Helena virou à esquerda numa estrada de terra. Alguns homens capinavam à beira do caminho. Fernanda explicou:

– Esses são presos que cumprem regime semi-aberto e trabalham como forma de diminuir a pena.

Paramos no estacionamento. Fazia frio. Meu casaco de couro velho e um cachecol que Verônica me emprestara de nada adiantavam. Chovia. Caminhamos até o portão de entrada, onde, numa guarita, nos sujeitamos aos procedimentos de praxe: entrega da autorização da Susepe para a entrevista, documentos e celulares.

Eu não tenho qualquer motivo para ser amável com as pessoas. Mas mesmo assim, numa espécie de desvio de personalidade, insisto em ser agradável. Enquanto era revistado por um guarda, disse para a policial que recolheu meu celular:

– Se alguém me ligar, diga que estou numa penitenciária de alta segurança e não tem previsão para minha saída.

Ela não riu, o guarda não riu, as advogadas não riram. Não era a primeira vez que entrava num presídio, por obrigação profissional, e já tinha reparado: pessoas que trabalham em presídios nunca riem. Rir em situações assim é para quem não tem mais nada a perder.

Terminaram a revista, outro guarda abriu dois portões enormes de ferro e, enfim, as advogadas e eu saímos num pátio. Depois de atravessá-lo, percorremos um corredor comprido. Estava frio, mais frio do que lá fora. Chegamos diante de um outro portão, esse, de grades de ferro. Fui mais uma vez revistado, antes de passar para uma espécie de *hall*, onde atrás de uma mesa velha de madeira, uma policial nos sujeitou novamente ao ritual de conferência de autorização e documentos. A mulher, entre uma pergunta e outra, entre uma conferência e outra, tomava chimarrão. Tive vontade de pedir um gole – sei que gaúchos têm o hábito de compartilhar as cuias de chimarrão. Lembrei-me a tempo que não era conveniente tentar ser agradável.

– A autorização é para que a entrevista seja feita numa das salas da assistência social e não no parlatório – disse Fernanda à policial.

– Por que isso agora? – perguntei.

– Se não avisarmos, vão colocar você para falar com ele ali – apontou Fernanda para uma sala onde os presos, para conversarem com advogados e outras visitas autorizadas, ficam atrás de grades e não têm contato físico com os visitantes. – Nós nunca nos aproximamos do Mário, sempre conversamos com ele no parlatório. Essa será a primeira vez.

A mulher chamou o guarda, entregou um papel para que o diretor do presídio assinasse, deu outro para que as advogadas e eu assinássemos e depois de uns 15 minutos liberou nossa entrada.

Passamos por mais um portão de grades de ferro e fomos conduzidos a uma sala relativamente pequena, com uma mesa de madeira e três cadeiras daquelas que têm um braço que serve como mesa, usadas em escolas. Tudo velho. Tudo decadente. Estava cada vez mais frio.

Não demorou muito para que um policial entrasse conduzindo um homem com os braços algemados para trás. Era Mário Neira Barreiro. Ou Antônio Meireles Lopes. Ou qualquer outro nome que ele tenha se dado. Nem alto nem baixo, magro, muito magro, calvo, cabelos e barba grisalhos, de óculos. Usava um terno cor de gelo, camisa branca, e uma gravata em tons de marrom e amarelo que dava um toque interessante ao traje. Muito diferente da figura que esperava encontrar. Arrisco-me a dizer que era distinto. Um contraste enorme com os antecedentes que tinha dele.

Maria Helena nos apresentou:

– Esse é o repórter que está pesquisando a morte de Jango.

Não tinha como cumprimentá-lo. Dirigi-me ao policial:

– Ele vai ficar algemado?

– São ordens.

– Será que pode pelo menos algemá-lo com as mãos para a frente? – pedi.

Já seria difícil conversar com um homem algemado, ainda mais com as mãos para trás. Outro desvio de personalidade: gesticulo muito quando falo. Verônica diz que, se prender minhas mãos, não sou capaz de articular sequer um oi. Mais um desvio de personalidade: penso que os outros são como eu.

O guarda concorda. Muda a posição das mãos do preso e põe ao lado dele uma sacola de papel, já rasgada, repleta de papéis.

– Esse é meu arquivo de documentos. Comprovam que falo a verdade – disse Mário.

A partir de agora, o que passo a relatar é a compilação das declarações que Mário Neira Barreiro me deu, durante cerca de 14 horas de entrevista, em dois dias; no primeiro, na presença das advogadas, e no segundo, sozinho. Gravava nossa conversa; à noite, usava o computador do hotel para transcrevê-la e salvava o texto num disquete. Jamais teria paciência de esperar meu regresso ao Rio para fazer esse trabalho.

Mário é bem articulado, fala muito, mistura coisas que parecem ser importantes com outras banais, revela às vezes uma certa confusão mental. Vai e volta nas histórias. Tem tendência a repetir a mesma coisa inúmeras vezes. Em alguns momentos, me deixou absolutamente convencido de que participou de uma conspiração que assassinou o ex-presidente João Goulart. Em outros, tive certeza de que se tratava de um mitômano.

Como organização nunca foi meu forte – ainda mais agora, que não tenho esperança de ter minha matéria publicada e, mesmo assim, prossigo na minha obsessão –, aqui na quitinete na Glória, diante do computador, tenho dificuldade de dar ordem às declarações de Mário. De qualquer forma, é uma tentativa de fazer um texto final sobre minha experiência em Charqueadas, de dar algum sentido a tudo o que escutei e presenciei. Mário começou nossa conversa, depois de lhe explicar o motivo que me levara até ele. Avisei-o que iria gravar tudo o que ele me dissesse.

– Aceitei conversar com o senhor contra a vontade de muita gente – começou Mário, enquanto remexia nos papéis que trouxera na sacola. – O Ricardo, meu amigo uruguaio, que também está preso aqui, me mandou essas duas cartas:

Charqueadas, 16/5/02
Mário:
La abogada dice que vas a dar una entrevista a unos periodistas, quedo muy preocupado, por favor, cuidate en lo que vas a decir, no quiero compromisos, vos tienes derecho a decir las cosas que sabes, pero tu derecho termina donde comiensa el mio, asi que tiene mucho cuidado, no te olvides que yo también estoy siendo prejudicado por esto maldito libro.
Cuando comensastes a escribirlo, en 84, por ayudarte, el Hugo (Fue), lo matarón, a Roberto también y solo por ayudarte, a juntar natos informaciones y pruebas, yo aún estoy vivo po no sé que suerte, mas vos no ignoras cuantas veces quicierón matarnos y cuanto emos sufrido por ese maldito libro. ¿Porque? ¿Porque incistis? Deja todo com esta! (...) Vos tienes derecho a hablar lo que te paresca más justo, más cuidado, yo no quiero más represarias, estoy cansado. Todo eso nos dió, percecución, torturas, balas y carcel.

A segunda carta acrescentava novos argumentos para que Mário ou não falasse, ou falasse com máximo cuidado.

Si vas a declarar a los de la Tv o jornal, cualquiera que sea mirá bien lo que dices, no quiero compromisos, sin garantias pues tu no ignoras que por tu própio telefono fui amenasado yo y mi familia, y no solo en Uruguay si nos extradictan, si no también aqui. (...) No sea que, nos perjudique más ya no aguanto más, persecuciones, tiros, malas pasadas, causas injustas, fragantes fabricados, riesgo de muerte, etc. Por lo que te pido mucha cautela y que me comprometas lo menos posible, ya no soporto más, inclusibe tu también tienes que cuidar tu propia vida y salud, cada ves que sale a luz, esas cosas nosostros más para abajo nos undimos.
¿Mira bién donde estamos cada ves más abajo? ¿Donde terminaremos o como? Cuida muy bién lo que tu dices, estoy aterrado, apavorado, como dicen aqui. Mucho cuidad.

– Esse seu amigo parece mesmo preocupado. Posso ver o livro? Quais são essas revelações que causaram tantos problemas para você e para o Ricardo?

Mais uma vez Mário abaixou-se e mexeu na sacola de papéis. Tirou um saco plástico, velho e sujo, mais do que manuseado: dentro, folhas menores do que as de tamanho ofício, desiguais, umas brancas, outras pardas, tinha até papel de embrulhar pão. Tudo em desordem. Era o tal livro manuscrito: "Morte premeditada". Colocou-o sobre a mesa. Meu impulso, claro, foi pegá-lo. Mário foi mais rápido do que eu:

– Não! Ainda vou pensar se vou deixar o senhor ler!

– Não precisa me chamar de senhor – a resposta veio sem querer, não esperava a reação do preso, foi uma maneira de pensar em como lidar com a situação.

– Então como lhe trato? Doutor? Jornalista?

– Trate-me de você. Vamos voltar ao assunto que me trouxe aqui.

– Antes de qualquer coisa, vou lhe explicar por que estou nesta penitenciária. É para ficar incomunicável. Porque, quando estava no Presídio Central, ligava para jornalistas, para o Ministério das Relações Exteriores, para o embaixador, para o cônsul e dizia: seu cônsul, sabe que eu sou inocente, vocês estão me perseguindo. Comecei a escrever o livro de novo, lá no Presídio Central – porque, em meados de 1984, eu e alguns companheiros já havíamos escrito, não para vender, mas para nos proteger. Tiramos cópia, mas a polícia pegou o original. Um dos que ajudou a escrever o livro está preso aqui, com o nome de Marcelo Otensais, mas o nome verdadeiro é Ricardo Ruiz, que tinha o codinome de agente Cataldo. É esse que me mandou as cartas que lhe mostrei. Então, quando eu comecei a trabalhar no Presídio Central e a escrever meu livro, pedi para trabalhar na imprensa, na gráfica. Um dia, o capitão me chama e diz: "Bom, o negócio é o seguinte, você está escrevendo um livro sobre o quê? De maçonaria ou de política?" Eu respondi: "De política, Operação Escorpião." Ele disse: "Pode escrever poesia, sobre maçonaria, se quer escrever – eu gosto do assunto maçônico, não é –, mas não pode escrever mais esse livro, senão vai terminar na Pasc." E foi assim. Eu terminei aqui por escrever meu livro. Eles o roubaram, depois foi o jornalista da *Veja*. Eu não vou perder este livro de novo. Tem de falar com as advogadas, não estou pagando nada a elas, pegaram meu caso por filantropia. Até pensei que fossem do Serviço Secreto para roubar meu livro. A mesma coisa pensei do jornalista da *Veja*, ele quis me dar mil dólares pela xerox do livro, aceitei, mas ele não me devolveu o livro. Tive que escrever tudo de novo – disse Mário, misturando muitos assuntos num português carregado de sotaque uruguaio e entremeado por palavras em espanhol.

Às vezes ficava difícil compreendê-lo. Como não podia mudar o sotaque dele, pelo menos ia tentar colocar ordem nos assuntos:

– Sobre esse repórter que diz ser da *Veja*, Cláudio Carvalho, que as advogadas citam em sua defesa, tem certeza de que trabalha na revista? Estranho essa história de ele pagar mil dólares pela xerox do livro e nunca mais aparecer. Também imaginar que ele pertença a um Serviço Secreto, me desculpe, mas me parece fantasioso.

Antes que Mário respondesse, provoquei uma pausa na conversa. Perguntei ao policial que vigiava a porta como poderia conseguir café e água. As advogadas não estavam na sala. Fernanda tinha uma audiência e fora embora. Maria Helena aproveitou o intervalo para conversar com outros clientes. O guarda foi providenciar o café e água que eu pedira.

Precisava desta pausa. Tantas vezes fora acusado de mitômano, escravo de uma alucinação, pela convicção sobre a operação que eliminara João Goulart, Juscelino Kubitschek e Carlos Lacerda, e agora fazia o mesmo em relação àquele homem que estava à minha frente. Não. Não podia fazer isso. Tinha pelo menos obrigação de escutá-lo até o fim, antes de tirar minhas conclusões. Ainda mais porque ele tivera coragem de ir mais longe e mais fundo do que eu. Estava preso. Estava preso numa penitenciária de alta segurança. Bem verdade que tinha nas costas condenações por formação de quadrilha, receptação dolosa, uso de armas proibidas e porte de tóxico, o que não era meu caso, pelo menos não ainda. E muito provavelmente, estava preso por esses crimes e não por uma suposta perseguição política. Mas, apesar de ter acabado de conhecê-lo, sentia que tinha essa dívida com ele, escutar suas fantasias. E se não fossem fantasias? Acho que a dívida era comigo, não com ele.

– Desculpe-me por interrompê-lo. Estávamos falando do Cláudio Carvalho, que disse ser repórter da *Veja*. Tenho alguns conhecidos na redação da revista e nunca ouvi falar dessa pessoa – voltei à entrevista.

– O Cláudio foi lá no Presídio Central em 1999, levado pelo Daniel, para quem eu trabalhava quando fui preso. Ele disse que era intermediador, não era funcionário, mas fazia trabalhos para a revista. Ele falou: "Quando descubro uma boa matéria, tenho como pagar."

Expliquei-lhe o propósito de minha pesquisa e ele ficou louco.

– Meu livro fala da morte de João Goulart, do veneno, da investigação, da troca dos frascos, do invólucro, do composto do veneno. Carlos Milles, médico-legista, chefe da Operação Escorpião, que sintetizou o veneno, foi assassinado. O repórter me perguntou: "Quanto tu quer?" Para mim aquilo não valia nada, eu fiz o livro como seguro de vida, não para vender, toda minha vida eu escrevi poesia. Ele disse que poderia vender a entrevista, era um assunto quente, ia vender para *Veja*. Permiti que ele lesse o livro lá no presídio, então ele me ofereceu R$ 40 mil para eu responder 100 perguntas.

Mário colocou sobre a mesa um calhamaço de folhas tamanho ofício, digitadas em computador, cujo título era: *Questionário da revista* Veja. E continuou:

– Esse dinheiro resolveria meus problemas. Podia pagar as advogadas – que estão trabalhando de graça –, sustentar minha família – tenho uma filha brasileira, de oito anos. Foi por isso que permiti que pelos mil dólares ele levasse o livro para fazer xerox, enquanto eu respondia às 100 perguntas, pelas quais me pagaria R$ 40 mil.

Pensei em questioná-lo sobre o fato de que, na época, ele ainda não tinha essas advogadas, aliás, não tinha nenhum advogado. Mas desisti. Era complicar ainda mais uma história que já era bastante complicada. Deixei que Mário continuasse:

– Depois, o repórter sumiu. Tive de escrever o livro de novo e, quando as doutoras assumiram meu caso, eu dei para que elas lessem. Elas gostaram do conteúdo e me fizeram mais 100 perguntas. E eu me fiz mais 100 perguntas. São 300 ao todo. As advogadas, então, registraram os direitos autorais, porque senão como eu vou pagá-las? Se eu não tenho dinheiro? Tiraram meu carro, roubaram meus bens. Dizem que sou assaltante. Se eu fosse assaltante, eu teria pago pelo menos as xerox que elas tiram para mim. Eu não paguei nada a essas doutoras. Pensei que elas fossem do serviço secreto, que estavam querendo obter informações sobre mim. Até assinei um papel em branco para elas, porque se estavam querendo alguma coisa de mim, já tinham um documento assinado com a firma quente, com minha assinatura que está em meu documento. Terminei confiando nelas, porque como podem ter certeza de que vou pagar? Eu sou engenheiro, sempre trabalhei. Aqui no Brasil, quando fui preso, eu estava trabalhando em três empresas e não estava roubando. Estou preso por acusação de ter assaltado um carro-forte. Quando eu roubei um carro-forte? Eu estou prejudicado por ter falado sobre a morte de Jango. Não estou preso aqui porque sou um cara perigoso. Eu nunca fui a favor da violência.

– Li seus processos, mas minha questão aqui não é se assaltou carro-forte, se usou armas proibidas ou se estava portando tóxico. Sinceramente, isso não me interessa. Se é verdade ou não, não sou eu que vou averiguar. Estou aqui porque diz ter participado de uma conspiração internacional que assassinou o ex-presidente brasileiro João Goulart. Não tenho motivos para desacreditar, mas também não tenho motivos para acreditar. Preciso de provas. O senhor as tem?

Entrou o guarda com uma bandeja de alumínio, amassada e fosca – uma bandeja! Era um tratamento especial! Na bandeja, um garrafa velha e suja, duas xícaras, não muito diferentes da garrafa, e um copo de plástico com água.

– Bah!, café! – disse meu entrevistado, assim que viu o policial entrar. – Não posso me queixar. Porque até um guarda temos aqui. Está cuidando de mim.

O guarda não disse nada. Colocou a bandeja em cima da mesa, me serviu, depois encheu a outra xícara. Quando o preso foi na intenção de pegá-la, o guarda segurou-a primeiro e tomou o café.

– Mas... e o Mário? – perguntei.

Foi o próprio Mário que respondeu:

– Não precisa. Estão tratando bem o senhor, para mim está bom.

Entendi que o guarda estava devolvendo a provocação que Mário lhe fizera, quando entrou com o café. Não queria participar daquilo. Tomei a água e perguntei ao preso se ele se incomodava de usar meu copo. Servi café para ele e continuei a entrevista:

– Estávamos falando das provas. Parece que tem 40 horas de fitas gravadas em que Jango conversa com as pessoas que o cercavam no exílio.

– Tomara que não me prejudique, porque estou lhe ajudando – Mário teimava em evitar o assunto das provas.

– Eu não quero te prejudicar. Como eu poderia te prejudicar?

– Bom, eu estou falando de um crime, do qual a única coisa que não fiz foi compartilhar da idéia de matar o homem, eu era contra, mas acontece que não podia ser de outro modo, senão eles me matavam. Mas participei daquela conspiração, dos atos preparatórios do crime. Isso é uma coisa muito terrível e grave. Não posso querer notoriedade, não posso ficar orgulhoso daquilo que fiz. E isso pode me trazer sérios problemas. Eu já tenho sérios problemas, estou condenado à morte, né? Mas, enquanto não me matarem, eu ainda me conformo com aquele rancho (comida) na cadeia, com aquele pátio para tomar um sol, por enquanto eu estou vivo, me entende?

– Entendo, mas tudo que disser, se não tiver como provar, não tem valor algum. Não tenho dúvida de que João Goulart, Juscelino Kubitschek e Carlos Lacerda foram assassinados. Persigo essa história há 25 anos. Nunca consegui publicar uma matéria sobre isso porque não tenho provas. Quando soube de você, achei ter enfim encontrado um fato novo, concreto, que comprovasse a minha teoria, que fizesse com que as autoridades investigassem realmente o assunto, o que as Comissões para apurar as circunstâncias das mortes de Jango e de JK não fizeram, até porque não tinham poder de Justiça.

Foi a mesma coisa que não tivesse falado nada. Mário não deu atenção à minha pergunta e continuou o discurso sobre si mesmo. Decidi não interrompê-lo e me submeter ao papel de ouvinte. Percebi que teria de ter paciência se quisesse tirar alguma coisa concreta dele, se é que essa coisa concreta existia:

– Entrei para o serviço secreto do Uruguai, o GAMMA (Grupo de Ações Militares Anti-Subversivas), em 1973. Esse era a inteligência do governo, a elite. Civis e policiais eram recrutados nos outros órgãos. Antes disso eu era menor de idade. Em

71, estava no secundário e me filiei ao movimento estudantil de direita JUP (Juventude Uruguaia de Pé). Surgiu então a AID – Alianza para el Desarollo (Aliança para o Progresso). Tinha um escritório na embaixada dos Estados Unidos em Montevidéu. No movimento estudantil, conheci pessoas de direita, e entre elas, o filho de um diplomata. Ele me disse que podíamos ganhar dinheiro preenchendo formulários e fazendo pesquisas de opinião política da população. Então comecei a trabalhar fazendo levantamento sobre o que as pessoas pensavam, se eram contra ou a favor do governo, se eram sindicalistas, comunistas, nacionalistas. Ganhava um bom salário como entrevistador e isso era um trabalho, não era ilegal. Naquela época, eu era ignorante, um jovem de 15, 16 anos, estudava eletrônica, não sabia nada de política. Fazia um monte de dinheiro, comprei meu carro, passei a achar então que aquele era meu caminho. Iria chegar a ser engenheiro, ia ser uma pessoa útil, teria uma família, uma profissão, eu não queria ser a vida toda um técnico de eletrônica. Queria ser engenheiro e o que me assegurava isso era aquele trabalho das pesquisas, era bom e era patrocinado pelos Estados Unidos. Fui ganhando a confiança daqueles que nos manipulavam até que um dia fui convidado para ganhar um salário melhor no GARRA 33 (Grupo Armado Anti-Revolucionário). Naquela época, havia dois grupos paramilitares de direita, o GARRA e o FARO (Frente Anti-Revolucionária Armada).

Recrutado, aprendi muita coisa: a atirar, a descobrir quem era guerrilheiro, como se descobria alguém que estava conspirando contra o governo. Com o tempo vi que o GARRA era um grupo de rapazes mal organizados, um bando de idealistas. Eu queria participar de algo que combatesse o terrorismo. Então um conhecido indicou-me para o serviço secreto e, aí sim, era uma coisa do governo, participava de missões militares do país. Isso foi em novembro de 1973. Comecei a fazer os cursos de utilização de armas, de estratégia, recebi todo o preparo que se dava a um oficial. Fiz cursos no Panamá de guerrilha urbana, de sobrevivência na selva, operações de comando, aprendi a atirar com um tiro que se chama simultâneo, com ambas as mãos, que é uma grande coisa que o terrorismo não sabia e nós aprendemos com os americanos. Aprendi um monte de coisas e terminei sendo um oficial do serviço secreto, eu era tenente. Meu codinome era Tenente Tamuz. Aí comecei a trabalhar em tempo integral na Operação Escorpião. Tudo o que estou falando é do conhecimento do governo do meu país. Por isso apreenderam meu livro e quiseram me matar.

Pronto. Finalmente, Mário tinha falado da Operação Escorpião. Era a oportunidade para interrompê-lo e entrar no assunto que me levara ali, a conspiração para matar o ex-presidente João Goulart.

– A Operação Escorpião foi feita para eliminar Jango?

– Para entender a Operação Escorpião, o senhor tem que se situar no tempo – respondeu Mário no tom de dono do assunto, como se somente ele soubesse a verdade. Também não tinha a mínima intenção de lhe explicar que pesquisava o assunto havia anos, tinha lido muito, conversado com várias pessoas. Não valia a pena. Deixei que ele falasse.

– Na época em que o Jango foi para Montevidéu, o governo uruguaio era uma democracia, então o Fleury (Sérgio Paranhos), delegado do Dops, queria informações sobre aquele suspeito, mas a polícia, a inteligência do Uruguai e o Exército não se interessavam em sair da legalidade. Quando a guerrilha começou a ter crescimento no Uruguai, organizou-se um serviço secreto. A Operação Escorpião era para eliminar dissidentes no estrangeiro. Mas havia outras: a Trabis, por exemplo, destinada aos líderes da oposição que estavam residindo no Brasil. Essa é a que eliminou o Lacerda e o JK, pois atuava dentro do Brasil. A Escorpião era fora. O Mariscot (Mariel, policial da repressão) pertencia a um grupo de vigilância que se chamava Argus. Esse vigiava o JK. Eu sei porque o próprio Mariscot me disse.

– Conheceu o Mariscot? Ele foi para o Uruguai disposto a matar Jango?

– Ele veio cumprir uma ordem. Havia um pacto de cooperação entre os países da América Latina. O pacto era o Plano Condor, um conjunto de operações, inclusive essas que estou dizendo, direcionado para o mesmo objetivo. O Plano já existia em 73, mas só foi oficializado em 75. Vou lhe dar informações precisas da Operação Escorpião, que se iniciou com o golpe do Uruguai. O que quero deixar claro é que, no princípio, essa operação não era para uma eliminação do homem, era uma vigilância discreta. Bom, então eu comecei a trabalhar na Operação Escorpião, a gravar as conversas do Jango. Mas, na segunda vez que o Fleury foi ao Uruguai, em 73, decidiu que Jango tinha de ser morto – a primeira vez foi em 71, não tive contato com ele, mas soube porque se hospedou no Hotel Victoria Plaza, e a última foi em 75. Agora, o acordo era o seguinte: o Dops podia matar no Brasil quantos quisesse, mas no Uruguai não. Lá nós é que íamos matar. Mas chegou uma hora em que o Fleury achou que estávamos demorando a fazer o serviço, que não dava mais para esperar, até porque Jango começou a falar em voltar para o Brasil, já tinha até mandado o Percy para experimentar como seria recebido aqui. Foi então que o Mariscot foi para o Uruguai fazer o serviço e um major uruguaio me designou para acompanhá-lo.

– Então quem matou Jango, considerando que ele foi assassinado, foi o Mariscot e não o serviço secreto do Uruguai? Ele foi envenenado mesmo, como suspeitaram?

– Foi o serviço. Não foi envenenamento, e essa história de falar que a dona Maria Thereza colaborou com a morte de Jango é mentira. Ela é inocente. Não foi um veneno que se usou, foi um composto químico, nós trocamos o remédio.

– Que remédio?

– Ele tomava Isordil, Adelfan e Persantin, eu não lembro, faz muitos anos. Ele comprava, ou mandava comprar. Mas tomava um outro que vinha da França, que o serviço secreto comprou, e trocou um comprimido. Sabíamos do histórico médico, não ia morrer do coração, podia morrer de outra coisa; Jango administrava bem a doença.

Aliás, ele administrava tão bem a doença que diversas vezes alegava estar passando mal, a fim de se livrar de certos compromissos que gostaria de evitar. Por exemplo: quando havia eleições no Brasil para deputado ou vereador, diversos candidatos o procuravam em busca de apoio eleitoral e muitas vezes pedindo até mesmo dinheiro para as campanhas. Jango os evitava dizendo-se doente.

Ele fazia o regime do jeito dele, fumava menos. Comprava um maço de Ritz azul, em vez de dois. O uísque ele misturava com água.

– O João Vicente realmente me cedeu uma carta que o pai lhe mandara, depois que voltou da Europa a última vez, em que contava para o filho que estava fazendo regime e tinha parado de beber. Se não me engano, foi a última carta que o pai lhe escreveu.

João Vicente também suspeitava da maneira como seu pai morrera, inclusive foi o primeiro a depor na Comissão que apurou as circunstâncias da morte de Jango. Suspeitava, mas não o suficiente para convencer a mãe e a irmã a autorizarem a exumação do corpo do pai. Esse detalhe, o de impedir a exumação, me fazia desconfiar dele no começo. Mais tarde o compreendi. Ele suspeitava, sim, mas era assunto delicado para ele. Talvez João Vicente tivesse medo de ir fundo na história e descobrir que sua mãe estivera envolvida no crime, como muitos falavam. Mesmo assim, esse tempo todo em que busquei pistas que revelassem as circunstâncias em que Jango morreu, João Vicente muito me ajudou. Colocou à minha disposição o arquivo de fotos, cartas e outros documentos, inclusive o hábeas-data de seu pai, que sua assessora guarda em casa. Lembro-me de que passei um dia inteiro – era um feriado, de que não sei – no apartamento da moça, morena e bonita, no Leblon, vasculhando tudo. Fiquei surpreso quando ela – Rejane era seu nome – me contou que João Vicente recebeu a caixa de papelão do Arquivo Nacional com o hábeas-data, que estava fechada e fechada a entregou para ela. Nesse dia entendi João Vicente. Ele queria a verdade, mas não descoberta por ele.

– O senhor não pode ter a última carta que Jango escreveu para o filho porque nós a pegamos. A carta do dia 9 de novembro ele deve ter recebido. Mas a última carta que ele colocou no correio de Maldonado o João não pode ter recebido, porque interceptamos e depois ele morreu.

– Não tenho as datas de cabeça, não sei dizer se esta carta que tenho como última é de 9 de novembro. Vou ter de consultar meu arquivo quando voltar ao Rio.

Realmente, mais tarde, quando consultei meus arquivos, encontrei a carta de 9/11/76. Como poderia Mário saber disso, se não vigiasse Jango? Essa resposta não tenho até hoje.

Cada vez mais, meu entrevistado era para mim um enigma maior. Seria mais fácil acreditar que ele estava inventando tudo aquilo. Mas, e o relato detalhado, nomes de remédios, o maço de Ritz azul?... Tudo seria fruto de sua imaginação? Precisava continuar perguntando para testá-lo. Quem sabe ele ficava sem resposta ou caía em contradição.

– Como fizeram a troca do remédio?

– Não vou te responder como fizeram a troca, porque foi feita na França pelo serviço secreto, isso não coube a mim. O que sei é que nós não podíamos deixar furo, então, em cada frasco apenas uma das cápsulas tinha o veneno. Isso impediria que encontrassem alguma coisa, caso examinassem os remédios. Por outro lado, não sabíamos quando ele ia morrer, poderia ser qualquer dia, nem se sabia onde. Depois tivemos que fazer revista em todos os locais em que ele poderia ter deixado um dos frascos desse remédio. Ele tomava todos os dias, podia ter deixado em Maldonado, com o Percy, enfim. Eu sei porque o seguíamos em todos os lugares, escutávamos tudo o que ele falava.

– Então não foi o Mariscot quem matou Jango?

– Não, porque Jango tomou o medicamento, antes que ele pudesse executar a ordem que lhe fora dada. Eu não queria que o Mariscot fizesse o serviço, porque acompanhar as conversas de Jango era uma novela para mim, tinha me acostumado, eu era parte daquele filme. A partir de 73 começou a se esquematizar uma vigilância mais efetiva sobre o ex-presidente. Entramos em suas fazendas, colocamos microfones, monitorávamos tudo 24 horas por dia, fazíamos maravilhas. Aqueles capatazes eram uns burros. No começo, eu não entendia sobre o que falavam, era muito ignorante, um rapaz novo, achava meio chatas aquelas conversas de política, mas depois comecei a me interessar. Acabei gostando do Jango, ele não era terrorista, me tornei o seu amigo secreto, cortava as partes da fita em que se falava sobre o regime, tudo que ele falava de suspeito eu tirava, colava a fita, enviava com relatório. Eu gostava dele, não o achava merecedor de morte.

Filme. Exatamente isso. Se Mário sentia-se como parte do "filme da vida de Jango", a sensação que eu tinha era que ele estava narrando esse filme para mim. Na verdade, parecia que contava sobre o que alguém havia lhe contado ou que tinha lido. No máximo, participado de longe. Tudo o que falava era superficial, horizontal. Dava voltas e voltas no mesmo assunto sem dizer nada de consistente. Não havia verticalidade em seu depoimento. Estava ficando convencido de que, realmente, se tratava de um mitômano e que estava perdendo meu tempo ali. Uma única coisa poderia me fazer mudar de opinião: escutar as tais fitas.

– Vou poder escutar essas fitas? – consegui fazer a pergunta que realmente me interessava. Era impressionante como Mário, espectador de sua própria fantasia, não dava a mínima para o que eu falava. Falou das fitas, porém sem responder ao que eu lhe perguntara.

– Eu tenho uma fita de 40 horas de gravações, mas não de qualquer frescura, de qualquer porcaria, 40 horas do que eu achava mais importante nas conversações de Jango, me entende? Eu não peguei 40 horas qualquer, eu peguei as 40 horas que me interessavam. Cortava, colava e roubava.

A esta altura, eu já estava ficando impaciente. Há dois dias conversava com Mário, escutei muitas vezes as mesmas histórias, mas não tivera acesso às fitas. Decidi que teria de ser incisivo. Não podia prolongar aquela situação. Até porque não tinha mais dinheiro para me manter em Porto Alegre e fazer o trajeto até Charqueadas.

– Mário, é o seguinte: tem que ser sincero comigo, vai me mostrar ou não as fitas? Já te disse que posso até acreditar no que diz, mas se não tem como provar, nada posso aproveitar de suas informações.

Ele reagiu. Ficou nervoso. Dava para perceber a alteração em sua voz:

– Tudo bem. Para acreditar em mim, vou mostrar uma gravação com as conversas de Jango, e o senhor me diga como chegaram ao tal Barreiro. Só quero que me explique uma coisa: para que eu vigiava aquele homem 24 horas por dia? Era para roubá-lo, sou um ladrão? Estaria tentando roubar o Jango? Então sou um ladrão malsucedido, porque um ladrão que investiga por três anos uma vítima e nada lhe rouba é um otário.

– Ok. Então como vou fazer para escutar as fitas? – arrisquei mais uma vez.

– As fitas estão na casa do Juruma. Mas ele não vai entregar a não ser que eu dê um sinal. O Daniel é meu empregador, da Martins Construções, ele está com as transcrições e com a fita original magnética, que é a prova de que eu estive lá investigando, mas não vai poder ouvi-la porque é preciso um aparelho especial.

– Não tem problema. Eu escuto as cassetes que estão com o Juruma e pego as transcrições com o Daniel. Como eu chego a essas pessoas?

– Primeiro eu tenho que concordar que vou entregar as fitas.

Não podia acreditar que estava escutando aquilo. Como tinha de concordar se ia entregar as fitas, se há dois dias estávamos falando sobre isso? Preferi aceitar como natural aquele comentário e perguntei.

– Concorda?

– Primeiro temos que concordar que eu vou lhe entregar. Com essas informações, vai resolver muita coisa que inclusive possa ter relação com as mortes de JK e Lacerda. Mas não vou perder essas fitas. Tem que falar com as advogadas. Não quero que se repita a mesma história do jornalista da *Veja*, que não me devolveu o livro.

– As advogadas me acompanham. Eu copio as fitas e elas trazem de volta. Nem preciso das 40 horas. Basta gravar uma conversa em que apareça a voz de Jango, nem precisa estar falando uma coisa extraordinária, qualquer frase serve, me passa o sal, quem está ao telefone, fecha esta porta por favor, preciso da prova de que realmente o vigiava, na intimidade, no dia-a-dia, para que tudo o que conta tenha credibilidade.

– O problema é que temos de saber se a família permitirá a divulgação das fitas. A primeira coisa a fazer é pedir essa autorização, pois a maioria das conversas é rotineira de uma família, de gente que vive, come e dorme num ambiente familiar.

Ficava cada vez mais evidente que Mário não tinha fita alguma ou, se as tinha, não iria mostrá-las. Mas eu insistia.

– Eu peço ao João Vicente a autorização. Tenho certeza de que ele não vai negar.

– Se ele diz que não tem problema divulgar as fitas ou que sejam entregues para o senhor ouvi-las, tudo bem. O cofre tem uma chave que eu joguei fora quando a polícia me prendeu. A combinação eu sei de cor.

– Cofre? Que cofre? Não tinha me dito nada sobre um cofre!

– As fitas estão guardadas dentro de um cofre. O Juruma é quem vai abri-lo. Dentro tem minhas coisas, granada, pistola, guardava essas armas para o caso de ter de fugir. E tem as fitas. É minha equipe SERF (Sobrevivência Estratégica Resistência e

Fuga). Eu tenho o endereço de onde pode pegar as fitas – enquanto falava, Mário remexia mais uma vez na sacola de papel. – Eles mexeram nas minhas coisas. Não acho o endereço de onde estão guardadas minhas coisas.

Enfim, Mário colocou um papel sobre a mesa. Era o desenho do interior do tal do cofre. Começou a descrevê-lo. Num compartimento tinha a granada, em outro a pistola, a mochila de sobrevivência. Num papel anexo, todos os itens de sua SERF: duas cuecas, duas calças, uma azul e outra preta – "as cores precisam ser discretas", explicou –, mais uma granada, uma Bíblia. Inacreditável. Agora não dava mais. Tinha de pôr fim àquele delírio. Estava na hora de encerrar a entrevista. Mário foi mais rápido do que eu.

– Bem, o senhor aguarda um telefonema das minhas advogadas para combinar como pegar as fitas. Enquanto isso, providencie a autorização de João Vicente.

E, antes que eu chamasse pelo guarda, se aproximou de mim e disse no meu ouvido:

– Rua Garibaldi, 44. Neste endereço também pode encontrar cópias da fitas. Se me matarem, antes que nos falemos de novo, não deixe que minha vida tenha sido em vão. Busque as fitas e divulgue-as. Mas vá lá só se eu morrer.

*

Somente quando o táxi parou diante do hotel, dei conta de mim. Se alguém me perguntasse como cheguei até ali, teria de me esforçar para responder.

Depois que Mário foi levado de volta para a cela, ainda fiquei algum tempo naquela sala, tentando dar sentido a tudo que escutara. Um guarda, então, me avisou que precisava fechar a sala.

Dali em diante não me lembrava mais de nada. Nem queria me lembrar. Não conseguia pensar em outra coisa a não ser no que Mário me falara. Onde estava o limite entre o real e o fantasioso? Acho que ele não fazia idéia. Muito menos eu. Também não fazia idéia do meu próximo passo. Não podia ficar em Porto Alegre esperando por um telefonema que, talvez, jamais acontecesse.

Foi mais rápido do que imaginava. Devia ter uns 15 minutos que estava deitado, olhando para o nada, quando o telefone de meu quarto tocou.

– Uma ligação. É a Dra. Maria Helena.

– Pode passar, obrigado.

– Tenho um recado do Mário. O Gomes, um amigo dele, que está cumprindo pena em regime semi-aberto na Casa do Albergado Patronato Lima Drumond, vai nos levar até o Juruma, que tem as fitas. Ele quer saber se já providenciou a autorização do João Vicente. Vou passar para buscá-lo daqui a uma hora, mas o Gomes só vai deixar que faça as cópias depois de ver a autorização.

– Ainda não providenciei, mas vou cuidar disso agora. Estarei lhe aguardando na recepção daqui a uma hora – respondi, sem saber como conseguiria a tal autorização em tão pouco tempo.

Precisaria ter sorte. E tive.

Nunca fui de ter sorte na vida, mais perdia do que ganhava. Porém, acontecia uma coisa interessante comigo, quando me via em situações complicadas como essa: de repente, do nada, a solução aparecia na minha frente. Acho que eu tinha sorte sim. A meu modo. Mas tinha.

Não foi diferente desta vez. Consegui falar com João Vicente na primeira tentativa e não demorou muito para ter nas minhas mãos um fax autorizando que eu tivesse acesso às fitas com gravações de conversas de seu pai durante o exílio.

Uma hora depois, estava no carro de Maria Helena a caminho da Casa do Albergado, no bairro Teresópolis. Fernanda também nos acompanhou. Durante o trajeto, percebi que as advogadas de fato acreditavam em Mário. Não tinham dúvida alguma sobre as histórias que ele contava, sobre ele ter feito parte do serviço secreto uruguaio, sobre a existência das fitas, sobre o repórter da *Veja*.

*

Era uma rua larga de terra batida. Uma subida. A Casa do Albergado fica lá em cima, quase no alto, do lado esquerdo. Estacionamos na calçada e não demorou muito para Maria Helena dizer:

– Olha o Gomes ali – apontou para um homem de estatura mediana, barriga protuberante, uma pasta preta surrada na mão. Ele acabara de descer de um ônibus do outro lado da rua.

Atravessou e veio em direção ao carro. Antes que se aproximasse, Maria Helena abriu a porta e desceu.

– Vou falar com ele primeiro. Já volto.

Fernanda e eu ficamos esperando. Não tínhamos mais assunto. Percebi que ela estava nervosa. Eu também. Mas aquela situação incomodava mais a ela do que a mim.

Do carro, eu via Maria Helena conversando com o homem. Não me parecia um diálogo tranqüilo. Pelo contrário. Tive a impressão de que ela gritava. Gesticulava muito. Ele balançava insistentemente a cabeça.

Enfim, aproximaram-se do carro. Maria Helena entrou e disse:

– Ele quer dinheiro para levá-lo até as fitas.

– Dinheiro? Sabia disso? Avisei antes que eu não tenho dinheiro, e mesmo que tivesse...

– Não, eu não sabia. Estou me sentindo tão enganada quanto o senhor. Antes de ir buscá-lo no hotel, conversei com o Mário e com o próprio Gomes pelo celular. Nenhum dos dois me disse qualquer coisa sobre dinheiro. Acredite em mim.

Eu acreditava nela. Nada na fisionomia daquela mulher denunciava mentira.

– O Gomes disse que a *Veja* está oferecendo 400 mil reais pelas fitas. Pode dar preferência para o senhor, mas não abrir mão do dinheiro. Essas são as ordens que recebeu do Mário.

– Sabe com quem ele falou na *Veja*? Acho muito difícil que a revista esteja oferecendo essa ou qualquer outra quantia pelas fitas...

– Não. Não sei com quem o Gomes falou. O senhor não quer conversar com ele? – perguntou Maria Helena.

Gomes me disse que fora procurado por Diogo Schelp, da revista *Veja*. Estava interessado nas fitas e oferecera 400 mil reais. Era um furo. Merecia a quantia. Sem dinheiro não teria as fitas. Mário fora claro. Nada podia fazer. Estava apenas prestando favor a um amigo. Não tinha nada a ver com aquilo.

Mais tarde, vim a saber que Gomes havia procurado o jornalista Diogo Schelp e oferecido a matéria, e não o contrário. Mas não falara sobre dinheiro. Até porque, me disse o próprio Diogo, não é política da revista comprar informações. O homem ficara de ligar novamente, o que nunca aconteceu.

Tentei argumentar com o amigo de Mário. Não queria admitir que fora ingênuo. De nada adiantara o que já passara por causa daquela insistência em investigar aquele assunto. Os outros estavam certos. Eu é que estava enganado. Maria Helena sugeriu que ligássemos para Mário. Quem sabe eu não conseguiria convencê-lo. Não foi difícil para a advogada me colocar ao telefone com seu cliente. Uma ligação para o celular do Papagaio – o preso todo-poderoso de Charqueadas – e em seguida Mário encontrava-se na linha.

Estava irredutível. O dinheiro pelas fitas ou nada. "Como eu era ingênuo!" – admiti. Mário fora o único que percebera minha fraqueza.

Fiquei nervoso. Gritei. Chamei-o de mentiroso, vigarista. O que adiantava? Sentia raiva, não dele, mas de mim mesmo. Passei da irritação à depressão, rapidamente. Desisti. Não queria saber de mais nada. Deixei as advogadas na calçada, falando com o tal Gomes, atravessei a rua e entrei no primeiro táxi que passou.

– Por favor, hotel Master Palace, no Centro. Não. Espera aí. Antes me leve à rua Garibaldi, 44. Conhece a rua Garibaldi?

– É no Centro também. Não é longe do hotel.

Fomos e voltamos pela rua umas três vezes. Não encontramos o 44. O número não existia. Não existia o endereço onde Mário me dissera para buscar as fitas no caso de ele morrer. "Não deixe que minha vida tenha sido em vão", lembrava-me bem das palavras que ele sussurrou no meu ouvido, quando nos despedimos.

– Senhor, deve ter-se enganado ao anotar o número – disse-me o motorista do táxi.

– É. Devo ter anotado o número errado. Vamos, então, para o hotel, por favor.

Foi em Verônica que pensei, quando abri a porta do quarto. Como queria tê-la ali, naquela hora. Não precisaria dizer nada, não precisaria explicar nada. Ela olharia para mim e entenderia tudo. Não perguntaria nada.

Fui até o telefone. Precisava pelo menos escutar a voz de Verônica. E tinha de ser agora. Na mesa-de-cabeceira, junto ao aparelho, alguns papéis que Mário me dera: um mapa, cuidadosamente desenhado, com o percurso que Jango fez na véspera de sua morte; o índice do livro *Morte premeditada*, atrás, uma anotação manuscrita de Mário:

– Jango tinha vários ditos. Esse é inédito. Vou colocar no meu livro: "a mentira é necessário sustentá-la, mantê-la, mas, quando não é mais mantida, ela cai por inércia".

Capítulo 15

Do diário do repórter – agosto de 2002 – Voltei do Sul deprimido pelo fracasso de minha tentativa em acompanhar uma pista que evidentemente não era pista, mas uma cilada de vigaristas que tencionavam ganhar algum dinheiro vendendo o que não tinham, ou se tinham alguma coisa, nada esclareciam nem provavam.

Mas o caso de Jango continuava desafiando não apenas a mim, mas a várias outras pessoas e grupos, eventualmente até mesmo as autoridades da Argentina e Uruguai, já que depende desses países abrir a caixa-preta que ainda guarda todos os detalhes daquela operação macabra. Dois pedidos de exumação negados em contextos diferentes – bastava isso para manter o enigma e considerar a morte de Jango suspeita de esconder um assassinato político.

De volta ao Rio, retomei o caso Lacerda, que não chegava a ser um caso, pois nunca fora aberto oficialmente. É certo que muitas dúvidas continuam em torno de sua morte, mas nunca fora aberta uma investigação articulada para apurar as circunstâncias que eliminaram do cenário político nacional aquele que, com a virulência de suas campanhas, conseguira depor três presidentes da República.

Evidente que houve pasmo geral quando a morte dele foi anunciada. Tirante os membros de sua família e os amigos mais chegados, ninguém soubera que ele estava doente. Nos últimos tempos era sujeito a gripes – e seu próprio médico-assistente, o Dr. Antonio Dias Rebello Filho, o medicava por telefone, receitando aspirinas para combater a febre e um antiinflamatório (Profenid) para combater as dores nas articulações, um dos sintomas mais freqüentes do estado gripal.

Tive acesso facilitado à Clínica São Vicente, graças à gentileza de seu diretor principal, o Dr. Roberto Londres. Por interferência dele, também tive acesso aos médicos que o atenderam nas últimas horas, os doutores Pedro Henrique Paiva e Marco Aurélio Pelon, o primeiro, responsável pelo pedido de internação de Lacerda na Clínica São Vicente; o segundo, responsável pelas informações do atestado de óbito, uma vez que, como médico-residente, estava de plantão na madrugada do dia 21 de maio de 1977.

Mais importante do que tudo, tive acesso também ao prontuário de Lacerda, só possível pela confiança em mim depositada por Sebastião Lacerda, que com a morte de sua mãe, Letícia, e de seu irmão mais velho, Sérgio, era o único que poderia autorizar legalmente o exame técnico do prontuário.

O atestado de óbito dá diversas causas próximas para a morte do ex-governador da Guanabara: diabetes, enfisema pulmonar e, finalmente, um enfarte agudo do miocárdio.

O prontuário é bem mais completo e o quadro clínico de Lacerda pode ser acompanhado minuciosamente a partir de sua internação na Clínica, por volta das 12h30 do dia 20 de maio de 1977. Examinado uma hora depois pelo médico de plantão, foram apurados os seguintes dados:[16]

> 1 – Que o paciente tem uma história de um quadro febril tipo gripal há cinco dias, que se agravou nas últimas 48 horas, com febre alta, dores musculares e articulares e queda do estado geral. Era diabético e portador de enfisema pulmonar.
> 2 – No momento do exame de internação, seu estado geral era razoável, tanto que não foi encaminhado à UTI. O médico que o examinou suspeitou de um quadro infeccioso, tendo solicitado exames visando ao diagnóstico

> de doenças que costumam provocar febre prolongada. Tanto o quadro não era preocupante que o médico nem prescreveu antibióticos, esperando que culturas de sangue e urina fossem colhidas em primeiro lugar.
>
> 3 – O principal achado do exame físico que poderia preocupar era uma pressão baixa (90x60), que o médico atribuiu ao fato de o paciente também estar um pouco desidratado, na ausência de outros dados que indicassem um processo mais grave.
>
> A evolução do quadro clínico do paciente foi rápida e inesperada, agravando-se em horas, evoluindo para a confusão mental, insuficiência respiratória, coma, choque e morte.

Somando-se este parecer de um médico que não pertence à Clínica São Vicente com o parecer emitido em 28 de fevereiro de 2003 pelos doutores Marcelo Vieira Gomes, atual chefe do CTI da Clínica, e Pedro Henrique Paiva, que em 1977 solicitara a internação de Lacerda e alertara a família para a gravidade de seu estado, podemos chegar a algumas conclusões.

Lacerda morreu devido a um estado altamente infeccioso que não foi devidamente combatido, pois havia dúvidas sobre a verdadeira causa dos sintomas que apresentava. O parecer dos dois médicos da Clínica, em sua concisão, admite a septicemia grave:

> Paciente internado no dia 20 de maio de 1977, diabético, com sopro cardíaco, febre e queda de pressão arterial. Tal quadro caracteriza infecção generalizada, que hoje seria chamada de septicemia grave – já com déficit de oxigenação

dos tecidos e possivelmente insuficiência renal. Provavelmente decorrente de endocardite infecciosa (infecção das válvulas do coração) com hemocultura positiva para *Staphylococcus aureus* (bactéria crescendo no sangue). Hoje, este paciente seria gravíssimo, e mesmo com os recursos atuais, teria altíssima mortalidade.

28 de fevereiro de 2003.

Marcelo Vieira Gomes – Pedro Henrique Paiva.

Analisando a meu pedido o mesmo prontuário, o Dr. Max Zulchner Andrade, que não pertence ao quadro clínico da São Vicente, corrobora com o laudo anterior, dizendo na conclusão de seu parecer: "Os dados oferecidos para consulta são relativamente pobres. O tempo de internação muito curto. A elevação da doença muito aguda e grave (tendo levado ao óbito em menos de 24 horas). Apesar de não haver uma coerência forte entre a história, exames laboratoriais e evolução do paciente, o diagnóstico mais provável é de choque séptico, septicemia por *Staphylococcus aureus*, sendo o foco da infecção paroníquea no 1º quirodáctilo direito. O paciente foi tratado com base nesta hipótese diagnóstica, tendo sido medicado com penicilina cristalina e antibiótico da classe dos aminoglicosídeos; embora o tratamento fosse correto, não houve sucesso, tendo o paciente ido a óbito".

Contrariando os dois laudos anteriores, o parecer do Dr. Alexandrinos S. Botsaris invalida a septicemia como *causa mortis*, uma vez que "não há descrição de lesão de porta de entrada (lesão na pele como um furúnculo), presente em mais de 70% dos casos". Aliás, a ausência de uma "porta de entrada" já havia sido mencionada tanto pelo Dr. Pelon como pelo Dr.

Pedro Henrique Paiva, os dois médicos que atenderam Lacerda nas últimas horas.

Mas a presença do estafilococo (*S. aureus*) foi detectada claramente. O Dr. Botsaris levanta a hipótese de a infecção ter sido causada por antraz pulmonar. E explica que "o antraz é uma bactéria que produz uma toxina tão potente e fulminante que tem sido estocada em muitos países para uso na guerra bacteriológica".

Optando pelo diagnóstico do antraz, diz o Dr. Botsaris:

– O quadro clínico do paciente se encaixa perfeitamente ao quadro clássico de antraz pulmonar, que possui um quadro clínico bifásico. Após um período de incubação de cerca de seis dias, o paciente começa a sentir um quadro de febre, inicialmente moderada, acompanhada de dores musculares, cefaléia e tosse seca, o que freqüentemente lembra o diagnóstico de gripe. Esse quadro dura uma média de quatro dias, quando se inicia a segunda fase, com febre mais alta, hipotensão, dispnéia, seguidas de choque, coma e morte. Essa fase costuma ser fulminante, com duração média de 24 horas.

Diga-se de passagem que, em 1977, o antraz não era devidamente conhecido nem reconhecido, sendo na realidade mais um produto químico para a guerra bacteriológica do que uma doença em si.

E como inserir, seja o antraz (não-detectado), seja o estafilococo *aureus* (este detectado no quadro clínico de Lacerda), no contexto de um assassinato político?

A septicemia – que prevalece em dois laudos como a *causa mortis* – não foi devidamente diagnosticada, pois não houve uma porta de entrada no organismo do paciente, tirante a pequena lesão provocada pelo espinho de uma roseira, dias antes do período final em que Lacerda mergulhou em direção à morte. E o ferimento teria sido ocasional, impossível de ser atribuído a um atentado político.

O antraz, que na época só era conhecido por cientistas que trabalhavam no setor da guerra química, poderia realmente ter sido usado, ainda que em caráter experimental, em casos isolados de pessoas que, de alguma forma, incomodavam o equilíbrio da Guerra Fria, que era realmente uma guerra declarada mas não formalizada em termos e ritmos militares.

Lacerda representaria um perigo por diversos motivos. Sua capacidade de mobilizar a opinião das elites. Sua recente "promiscuidade" com os comunistas (uso o termo que aparece num dos relatórios do Dops sobre as últimas atividades de Lacerda), comunistas que a ele se associaram ao tempo da formação da Frente Ampla.

E, por último, o detalhe digamos vindicativo da maquinação que o escolheria para ser uma vítima talvez experimental do antraz: a necessidade de castigar pessoalmente um ex-aliado, um traidor da causa do mundo livre, um admirador impenitente não apenas do *american way of life*, mas ainda das linhas básicas que formavam a estratégia global dos Estados Unidos em sua cruzada contra o comunismo internacional.

Fica em aberto, portanto, a possibilidade de uma contaminação proposital de antraz em Lacerda, dias antes de sua morte, provocada por qualquer meio, desde uma correspondência, um livro, um alimento ingerido (uma bala, uma pastilha qualquer), uma pomada, até mesmo uma peça do vestuário contaminada ao contato com uma cadeira, um banco, um assento de automóvel.

Como disse Miguel Arraes em seu depoimento à Comissão Externa da Câmara dos Deputados, sobre as circunstâncias da morte de JK, ele tinha a convicção de que tanto JK como Jango e Lacerda foram assassinados. Quanto aos fatos, isso não era com ele, não competia a ele apurá-los.

Junte-se ao quadro de incertezas o comentário daquela enfermeira portuguesa que trabalhara para a Pide salazarista e estava exilada no Brasil desde a Revolução dos Cravos em Portugal, dois anos antes. De plantão no segundo andar da Clínica São Vicente na noite de 20 para 21 de maio de 1977, ao acompanhar o inesperado e fulminante agravamento do estado de Lacerda, teria dito com calma, ou melhor, com resignação:

– Já vi casos parecidos como este em Portugal, nos tempos da Pide.

Capítulo 16

O dia é 6 de dezembro de 1976. O local, a ponte Augustin Justo, a ponte de Uruguaiana, que liga a cidade brasileira a Paso de Los Libres, na Argentina. São 2,4 quilômetros sobre o rio Uruguai. Sei que passam muitos caminhões por ali. Devem ser milhares, pois é importante ligação terrestre comercial entre o Brasil e a Argentina. Mas naquele dia 6, se tivessem passado dois, dez, mil, não importava. A ponte de Uruguaiana estava vazia, deserta. Seria capaz de apostar que jamais alguém cruzara a fronteira.

João Goulart voltava ao Brasil. Morto. A ponte, o retrato da solidão do exílio, que ele já não mais suportava. Estava decidido a voltar, confidenciara a amigos mais próximos.

Voltou. Morto.

Na aduana, de um lado o ex-deputado Almino Afonso e Marcela, mulher de Cláudio Braga; do outro, vindos da estância de Mercedes, o carro da funerária, seguido de outro que tinha Carlos Piegas ao volante, Cláudio Braga, ao lado, e atrás, dona Maria Thereza e Mara, a mulher de Piegas.

Entrar com o corpo de Jango no Brasil não foi uma tarefa fácil. Os militares resistiram. Não havia permissão. Almino Afonso interveio. Aos berros, não se conformava que o corpo de um ex-presidente do Brasil, ainda que exilado, fosse impedido de ser enterrado em sua terra natal. Um dos sujeitos da aduaneira resolveu comunicar-se com autoridades competentes. Os trâmites foram demorados, mas enfim, veio a autorização do presidente Ernesto Geisel: João Goulart podia ser enterrado em São Borja e o corpo seguir via terrestre até lá. Havia sido cogitado transportá-lo de avião para evitar manifestações populares no caminho. Mas tinha uma condição: o caixão teria de ser aberto, Jango seria tratado como qualquer um, por isso, o corpo teria de ser examinado. Foi o que os agentes da aduana repetiram várias vezes.

A essa altura outras pessoas já haviam chegado à fronteira. Percy Penalvo, Maneco, um dos pilotos de Jango, dona Neuza Brizola, irmã de Jango e mulher de Leonel. Brizola ficou. Estava exilado. Não tinha permissão para entrar no Brasil.

Enfim, começou o trajeto até São Borja, pelas muitas estradinhas vicinais, carros iam agregando-se e se tornou um enorme cortejo. Foram 181 quilômetros percorridos até chegar a São Borja, por volta das 19h40. Houve certa confusão. Quase duas mil pessoas esperavam pelo corpo na frente da igreja matriz, espalhadas pela praça central da cidade. E quando o carro da funerária estacionou e o caixão foi levado para o interior da catedral, uma massa humana rompeu o cordão de isolamento organizado pela Brigada Militar de São Borja e, aos gritos de Jango, Jango, correu até o altar. A cidade coalhada de militares.

*

Uruguaiana, 6 de dezembro de 1976. Quatro horas da manhã. Carlos Piegas, sócio de Jango numa arrozeira em Paso de Los Libres e filho do fazendeiro Henrique Piegas Dondo, que era amigo e também tinha negócios com Goulart, entra no quarto em que Cláudio Braga está dormindo. No outro dia os dois iriam ao encontro de Jango em sua estância em Mercedes.

– Cláudio, acorda! O doutor morreu!

– Doutor? Que doutor?

– Que doutor pode ser? O doutor Goulart!

Pouco depois, Cláudio Braga, Carlos Piegas e sua mulher partiam em direção a Mercedes.

Eram 6h30 quando chegaram à estância La Villa. No alpendre encontraram o capataz Júlio Vieira, os peões da fazenda e mulheres da vizinhança.

Cláudio Braga entra na casa. Dirige-se ao quarto do casal. João Goulart na cama, Maria Thereza sentada numa cadeira ao lado. Estava meio escuro, quase sombrio.

– Olha! Que coisa! Ainda bem que chegou, olha o que passou com Jango – Maria Thereza, nervosa, abraça Cláudio Braga.

– Vamos com calma, vamos com calma, o que aconteceu? – ele tentou consolá-la.

Então Maria Thereza lhe contou:

– Fomos nos deitar. Jango tinha fumado uns cinco cigarros – apesar de estar proibido de fumar. Ele estava lendo um livro, então disse que ia dormir porque tinha um encontro pela manhã com Cláudio. Então perguntei se a luz incomodava, pois ia continuar lendo uma revista. Vi que ele dormiu, comecei a escutar uma janela batendo, tinha horror àquela casa, era muito grande, um casarão, fiquei naquela de levanto ou não levanto para ver que janela batia, estava morta de medo. Fui, mas voltei porque tinha medo. Era mais ou menos 1h30 da manhã. Quando deitei de novo, apaguei a luz, mas achei que Jango estava respirando estranho, então acendi novamente a luz. Então ele deu um suspiro, como se sufocasse, levantei e ele deu outro suspiro. Vi que ele segurava o travesseiro com força, comecei a sacudi-lo, mas ele não me respondia. Então pensei: "Está acontecendo alguma coisa!". Saí gritando, descalça, desesperada. Era distante a casa dos empregados, quando cheguei ao quintal, encontrei o capataz, armado, vindo em minha direção. Pedi socorro, disse que Jango estava mal. Um dos empregados foi buscar um médico, mas não adiantou, ele já estava morto. Estavam aqui o Peruano (amigo de João Vicente, que trabalhava com Goulart) e o capataz Júlio Vieira, que estava dormindo do lado de fora, numa cama de lona, com uns cachorros cercados de latas, para que se alguém viesse assaltar Jango, ele dava um tiro para cima, os cachorros correriam, as latas fariam barulho.

Chegou a casa funerária, o funcionário pediu para que todos saíssem do quarto. Era um sujeito meio gordo, usava luvas. Pegou o cadáver, levou para uma sala e o preparou. Quando terminou, colocou, em outra sala, o caixão fechado, com um visor de vidro. Antes de fechar a urna, porque ia viajar e tinha de ser lacrada, Cláudio Braga pediu que, antes disso, fosse aberta para as pessoas se despedirem. Assim foi feito. O funeral partiu às 14h da estância La Villa para Paso de Los Libres.[17]

*

Do diário do repórter – Montevidéu, 15 de dezembro de 2002. Domingo, 10h30 – Estou no apartamento de Cláudio Braga, em Pocitos, bairro nobre da capital uruguaia. Uma manhã de céu limpo, azul, muito azul, sol forte. Faz calor, o que é compensado pela brisa fresca que entra pela janela da sala, onde estamos eu, ele e Marcela, sua mulher.

Cláudio Braga interrompe o relato sobre a morte de João Goulart, onde estava, como foi avisado, como o corpo atravessou a fronteira, o velório. Está chorando.

Não reajo. Procuro apenas observá-lo, sem me deixar levar pelo que, a princípio, me parecia um relato sofrido. Era fundamental que me mantivesse distante. Tínhamos acabado de reviver a morte de Jango, na versão de Cláudio Braga. Já tinha escutado outras versões e, provavelmente, escutaria outras mais. Precisava ficar isento se quisesse depois ter minha própria versão. Lembro-me que, quando Jango morreu, o jornal em que trabalhava chegou a cogitar me mandar para São Borja, mas, depois, avaliaram que seria mais lógico – e concordei – usar o correspondente que ficava em Porto Alegre.

Cláudio Braga ainda chora. Não sei o que fazer. O que um homem de 64 anos faz diante de outro de 63 que chora? Não sei. Ainda mais porque se tratava de um homem corajoso. Chorava diante de quem via pela primeira vez. E à luz do dia.

– Não sou de chorar. A vida é dura comigo, mas também sou duro com a vida. Não tem problema, eu não choro. Sou covarde.

– Desculpe-me, Cláudio. Não tive intenção de constrangê-lo. Se quiser, podemos continuar nossa conversa uma outra hora, um outro dia – tentei lidar com a situação com cuidado –, cuidado que nunca tiveram comigo, nem eu mesmo. Era o que podia fazer. Cláudio Braga pede licença e se retira da sala.

– Nós já sofremos muito com tudo isso – explica Marcela.

Antes que eu pudesse fazer qualquer comentário, Cláudio Braga voltou para a sala.

– Vamos continuar a conversar. Já, já, isso passa. Daqui a pouco tomo um uísque e fico mais relaxado. Pode perguntar o que quiser. É difícil falar desse assunto, mas faço questão. Nunca me deram a chance de contar minha versão. Mandei vários pedidos para que eu fosse ouvido pela Comissão que investigou as circunstâncias da morte do presidente Goulart, mas nunca tive resposta – disse Cláudio Braga.

Enrique Foch Diaz levantou suspeitas sobre Cláudio Braga ter-se beneficiado financeiramente com a morte de Jango, além de insinuar que ele era amante de dona Maria Thereza. Em 1982, fez uma denúncia em Curuzu Cuatiá – na província de Corrientes, onde também fica Mercedes – sobre a morte de João Goulart e de furtos, roubos e defraudações que teriam sido cometidos sobre seus bens.

Não era, obviamente, a primeira vez que ouvia falar em Foch Diaz. Já tomara conhecimento desse processo, na verdade havia conseguido desarquivá-lo e obter uma cópia. Tinha-o entre os documentos de meu arquivo. Percy Penalvo também me falara dele e, claro, aproveitando que estava no Uruguai, tinha marcado de encontrá-lo no dia seguinte em Maldonado. Foch Diaz fora aluno da Escola Militar da Aeronáutica, mas havia deixado a carreira militar há muitos anos – hoje devia ter mais de 80 anos – e fora pilotar avião particular. Tinha ido à guerra da ocupação da Argélia como mercenário, voltou para o Uruguai com algum dinheiro e, por isso, tinha alguns bens. Foi ele quem vendeu a estância de Maldonado para Jango. A esta altura seus colegas da Escola Militar da Aeronáutica já tinham alcançado altos cargos, e quando veio a ditadura, em 73, ele se achou em condições privilegiadas, porque um dos três comandantes era o brigadeiro Perez Caldas, que tinha sido seu colega de turma.

– Consegui essa denúncia de Foch Diaz em Curuzu Cuatiá. Mas ele não cita o nome do senhor. No livro sim, mas isso talvez não fosse motivo para a Comissão colher seu depoimento, mesmo porque não foi dada muita credibilidade a Foch Diaz. Olhe o que concluíram sobre ele – tirei de minha pasta a parte do relatório final da Comissão que se referia ao assunto e mostrei a Cláudio Braga:

"O deputado De Velasco, em nome desta Comissão, deslocou-se à localidade de Curuzu Cuatiá para se informar sobre o processo (que fora movido por Foch Diaz e fora arquivado), e trouxe alguns esclarecimentos: tratava-se de uma denúncia do Sr. Enrique Foch Diaz, em que ele levantava suspeita não quanto à morte, mas quanto ao destino dos bens deixados pelo ex-presidente. Todas as pessoas citadas foram ouvidas, inclusive o próprio capataz (Júlio Vieira), o médico que assistiu o Dr. João Goulart e todas as pessoas que tinham sido arroladas como possíveis envolvidas em toda a trama de fraude, desvio de bens e coisas dessa natureza. De acordo com o juiz encarregado do caso, o processo foi iniciado em 1982 e, no transcorrer das oitivas dos envolvidos, ele não foi pressionado, nunca recebeu a visita de ninguém, nunca recebeu telefonema de ninguém, nunca recebeu qualquer ameaça que pudesse levantar uma suspeita de que alguém poderia estar interessado em arquivar esse processo. O juiz chegou ao final com a sentença de que não havia razão para o prosseguimento do feito. O processo foi encerrado com essa sentença. O juiz acreditava que esse Sr. Foch Diaz não era uma pessoa que estivesse no domínio de todas as suas faculdades mentais. Ele chegava a Curuzu Cuatiá normalmente de ônibus, maltrapilho, muito desleixado na sua aparência pessoal, e nunca se encontrou qualquer elemento que pudesse validar um tipo de processo que levasse adiante as dúvidas por ele levantadas."

– Não precisa me mostrar esse documento. Pode ter idéia de quantas vezes li e reli tudo isso? Tenho certeza de que, apesar de meu nome não ser citado nesse processo de Curuzu Cuatiá, sabe que fui acusado, mesmo informalmente, de até ter participado da morte de Jango, de estar envolvido numa troca de medicamentos, de ter passado pelo hotel em que ele almoçou em Paso de Los Libres e que ele teria se recusado a falar comigo. Disseram de tudo. Até que fui amante de Maria Thereza e depois de Denise.

Sabia de tudo isso, sim. E claro que Cláudio Braga se preparara para falar comigo. Tinha de ficar atento. Seguro e até um pouco autoritário no modo de falar, era muito convincente em suas declarações. Obstinado em provar que não teve qualquer envolvimento na morte de Goulart. Isso me confundia um pouco. Eu não era detetive nem juiz nem ninguém a quem ele tivesse de dar satisfações. Apenas estava, assim como ele, na minha busca obstinada para provar o que para a maioria parecia improvável. Mas Cláudio tinha o que eu ainda não conseguira. Tinha provas. Os que o acusavam também não tinham.

Mostrou-me uma carta que Goulart lhe mandara de Lyon na qual falava: "Soube, aqui, que no Brasil as coisas se esquentaram com a notícia de meu possível regresso. Creio que se estão somando muitos detonantes: eleições, situação econômico-social muito difícil, morte de JK com repercussões de toda a ordem, e da maior magnitude (completamente inesperadas para o governo). (graves denúncias no campo moral...etc. etc.)" Na carta, também refere-se à dívida de Mario De La Vechia, negócios em Mercedes, e à possibilidade de vender gado, o que, segundo Cláudio Braga, seria o motivo de ele estar em Uruguaiana e Paso de Los Libres nos dias 5 e 6 de dezembro: tinha encontro marcado com Jango na estância de Mercedes para resolver esses assuntos (ver, nos anexos, p. 273, a íntegra da carta).

Li a carta, mas o que me interessou não foi o que estava escrito e que representava muito para Cláudio: a prova de que ele tinha motivos para estar em Uruguaiana na noite em que Jango morreu e não porque articulava o assassinato, como fora acusado.

Foi a data da carta que me chamou a atenção: 13 de setembro de 1976. Eu era muito pouco organizado e atento, mas minha obstinação em provar que a morte de Jango tinha sido resultado de um plano para eliminar líderes políticos no Cone Sul deu-me uma inesperada facilidade de gravar fatos e datas dos documentos que lia ou de declarações que ouvia.

Quando vi no final da carta a assinatura: Jango, Lyon, 13/9/76, lembrei-me imediatamente de um telegrama que constava do hábeas-data dc Goulart e que me impressionara (ver, no anexo, íntegra da mesma carta). Até o guardei numa pasta intitulada como "Fundamentais". Essa era uma das poucas partes organizadas de meu arquivo. Colocava ali documentos que, por um motivo ou outro, ou mesmo por intuição, achava que poderiam ser pistas para eu chegar à minha verdade.

Era um telegrama de 10 de setembro de 1976, que dizia: "João Goulart tentará regressar ao Brasil", e dava a seguinte ordem, assinada pelo ministro do Exército, Sylvio Frota, ao Departamento Geral de Investigações Especiais da Secretaria de Segurança Pública do Rio: "*João Goulart deverá ser imediatamente preso e conduzido ao quartel da PM, onde ficará em rigorosa incomunicabilidade à disposição da Polícia Federal.*" Junto ao carimbo que classificava o documento como "confidencial" e "reservado", havia uma rubrica que dava como ciente da ordem em 13/9/76. Nunca consegui esquecer esse "13/9/76". Destacava-se mais que a própria data em que o telegrama fora enviado; era o dia do aniversário de Verônica e, agora, coincidia com o dia em que Jango escrevera a Cláudio Braga aquela carta que tinha em minhas mãos. (ver radiograma, p. 275.)

Antes mesmo de eu ter acesso ao telegrama no hábeas-data, que João Vicente me cedera, a *Folha de S.Paulo* havia publicado uma matéria em 21 de maio de 2000, assinada pelos jornalistas Luiz Antônio Riffy e Mário Magalhães, sobre o tal documento. Aquilo era o suficiente para mostrar que Jango continuava a ser vigiado mesmo depois de 12 anos de exílio e que sua volta ao Brasil era considerada perigosa.

Mas agora eu tinha mais. Tinha a certeza. Se sabiam das intenções de Jango pouco antes de ele escrever a Cláudio é porque, sem dúvida, haviam acompanhado as conversas que ele vinha mantendo com amigos sobre seu plano.

Depois disso nada mais que Cláudio me falou acrescentou muita coisa ao que eu já sabia. Mesmo assim conversamos ainda por longo tempo. Sentia que ele tinha necessidade de falar, estava disposto a esclarecer qualquer dúvida. Não tive como evitar a conversa. Na verdade, não queria evitar. Entendia a angústia daquele homem e me dispus, por conta própria, a amenizá-la. Cláudio me mostrou muitos documentos, contou e recontou fatos.

Marcela foi gentil. Serviu-nos salgadinhos, vinho para mim e uísque para o marido. Ela não comia nem bebia nada disso. Explicou que há muitos anos optara por uma alimentação totalmente natural, nem mesmo sal comia. Cláudio tentara acompanhá-la, mas, contou, por causa da convivência com Jango, que adorava uísque e churrasco, fora impossível.

No final da tarde, Cláudio e Marcela me acompanharam até a Rambla Gandhi, uma das avenidas principais de Montevidéu que beira o rio Prata. Lá me disseram que eu poderia ir andando até meu hotel, que ficava quase no final da avenida, esquina da rua Parva Domus, e foi o que fiz. Não dissera nada a eles, mas tinha muito pouco dinheiro para aquela viagem, no outro dia já teria de gastar para ir a Maldonado, para entrevistar Enrique Foch Diaz, e não podia me dar ao luxo de andar de táxi.

Quando, de São Borja, decidi ir para Porto Alegre entrevistar Mário Neira Barreira, o suposto ex-agente do Serviço Secreto Uruguaio, e depois ao Uruguai falar com Cláudio Braga, foi Verônica quem me deu condições financeiras para isso. Ao mesmo tempo que sugeriu que eu não podia perder a oportunidade de estar no Sul para fazer as entrevistas que ainda me eram necessárias, deu-me condições para viabilizar a viagem. Além disso, tinha uma amiga que trabalhava numa agência de viagens, que poderia facilitar tudo, também poderia contar com uma reserva de dinheiro que tinha guardada, já que tão cedo não precisaria se utilizar dela. Eu teria tempo suficiente para conseguir alguns trabalhos *freelance* para restituí-la.

Verônica falava docemente. Percebia que se esforçava para não me magoar, queria me ajudar, não me humilhar. Jamais tive dúvida disso. A dúvida que eu tinha era se ainda conseguiria sentir-me humilhado.

Despedi-me de Cláudio e Marcela, caminhei umas três ou quatro quadras e resolvi atravessar a avenida para sentar-me num dos bancos do calçadão, uma espécie de réplica da praia de Copacabana ao modo uruguaio, de frente para o rio Prata.

Queria organizar minhas idéias. Mentira. Não queria nada. Queria olhar para o rio Prata, com seu jeito de mar, apesar da água barrenta, e não pensar. Pensar em nada. Ainda havia sol. Nessa época do ano em Montevidéu escurece tarde. Às 20h30, quando entrei no hotel, ainda havia sol.

*

Quando, na recepção, pedi a chave de meu apartamento, um rapaz que estava ao telefone limitou-se a apontar para o mezanino.

Lá estava Ivo Magalhães. De cabeça baixa, cabelos e bigode totalmente brancos. Triste. Foi essa a impressão que me deixara no dia anterior, quando foi a meu encontro com um amigo jornalista, Jorge Otero. E era essa a impressão que me dava agora, ao observá-lo de longe, sozinho.

Lembrei-me do que Cláudio Braga dissera, quando comentei que tinha estado com Ivo no dia anterior e que o achei um homem triste: "Deve ter quase uns 20 anos que não o vejo. Fomos sócios, tivemos alguns conflitos quando Jango morreu, rompemos. Não tenho nada contra ele, mas Ivo era um homem forte, imperativo, fazia sucesso com as mulheres. Não tinha nada de triste. Para ver como o sofrimento muda as pessoas."

É verdade que o sofrimento muda as pessoas. Muito provavelmente mudara Cláudio também. Mudara a mim. Quando, aos 29 anos, fui a Montevidéu cobrir o encontro de João Goulart e Lacerda, encontro esse em que também estavam Cláudio e Ivo – apesar de eu quase não ter tido contato com eles, eu era gente do Lacerda e eles gente do Jango –, me achava dono da vida. Faria dela o que quisesse. Sentia-me imprescindível ao jornal, ao mundo. Colecionaria furos, colecionaria prêmios. Jamais uma pauta minha seria recusada!

Mas foi. Muito antes do que imaginava. Não soube lidar com a inutilidade do orgulho. Agarrei-me desesperadamente a uma improbabilidade – não duvidava de que minha teoria sobre a eliminação de JK, Jango e Lacerda fosse verdadeira, pelo contrário. Mas, paradoxalmente, sabia que era uma teoria improvável. Improvável porque não interessava que ela fosse provável, como, sem dúvida, não interessa até hoje. Talvez jamais interesse. Servia, pelo menos, para eu sobreviver. Estava vivo. Vinha sobrevivendo. Engano meu. Agora, ali, naquele momento, percebi que me enganei. Vinha morrendo. Aos poucos. A cada dia. Gota a gota. Voltei 35 anos depois a Montevidéu para fechar um ciclo. Era mais do que uma sensação. Era a certeza que me invadia ao contemplar a tristeza de Ivo Magalhães, tristeza que era mais minha do que dele. Não havia mais esperança. Depois dali, o naufrágio.

– *Señor, todo bien?* – disse o rapaz da recepção, já não mais ao telefone, mas com preocupação estampada no rosto diante de alguém que se ausentara da vida por instantes.

– Tudo bem, estava apenas pensando – limitei-mc a responder.

Neste momento, Ivo me viu e acenou. Fui em sua direção.

Não podia imaginar o porquê de ele ter voltado ao hotel. Achei que nossa conversa tinha se encerrado ontem. A entrevista não havia acrescentado muita coisa, mas fora agradável, cordial.

Quando, no dia anterior, o vi acompanhado por Jorge Otero, a quem me apresentou como um "jornalista amigo", que sabia muito mais sobre Jango do que ele próprio, entendi logo que estava tentando não ficar vulnerável diante de um "jornalista desconhecido".

Tinha certa razão. Depois da morte de João Goulart, por ter sido seu procurador universal, pesaram sobre ele muitas suspeitas quanto ao destino dado aos bens do amigo.

Entendi que ele tinha suas razões para querer se aproximar de mim. O que não entendia era o porquê de ter me escolhido para tantas explicações. Deixara claro que não pretendia entrar em questões de partilha de bens, um assunto geralmente complicado, ainda mais nesse caso. Até porque não conseguia fazer uma ligação entre o plano de eliminação de Jango, por questões políticas, e seu patrimônio. Estava convencido de que eram coisas distintas. Não conseguia considerar a possibilidade de que Cláudio, Ivo ou qualquer outro – ou mesmo todos juntos – tivesse planejado a morte de João Goulart para se apropriar de seus bens.

Mesmo assim, Ivo fez questão de explicar tudo, várias vezes, nos mínimos detalhes. E, naquela noite, foi ao hotel me mostrar alguns bilhetes e cartas trocados entre ele e Jango, a prova material da desorganização com que o ex-presidente tratava seus negócios, fato que me relatara no dia anterior.

Ivo segurava aqueles papéis como uma carta de alforria. Não falava, não precisava. O olhar embaciado pedia absolvição de uma culpa que não tinha. O único culpado ali era eu. Culpado que não queria absolvição.

No outro dia, bem cedo, fui a Maldonado para encontrar Foch Diaz. Quando o motorista do táxi que contratei parou diante de sua casa, numa rua arborizada – aliás, todas as ruas em Maldonado são arborizadas, pelo menos as por onde passei –, Foch Diaz estava do outro lado da rua junto com seu advogado, Rafael Barla Galván, um homem rechonchudo, com cara de feliz, e com uma garotinha magrinha, raquítica, ar de desprotegida.

Somente Foch Diaz veio em minha direção. Lembrei-me imediatamente da declaração do juiz de Curuzu Cuatiá, que consta do relatório final da Comissão que apurou a morte de Jango: o juiz acreditava que esse Sr. Foch Diaz não era uma pessoa que estivesse no domínio de todas as suas faculdades mentais. Ele chegava a Curuzu Cuatiá normalmente de ônibus, maltrapilho, muito desleixado na sua aparência pessoal, e nunca se encontrou qualquer elemento que pudesse validar um tipo de processo que levasse adiante as dúvidas por ele levantadas.

Não sei se poderia dizer que Foch Diaz estava maltrapilho. Vestia, apesar do calor, uma suéter de lã que não chegava a ser surrada, mas era bem velha, e um *jeans* claro – esse sim, todo sujo. Os olhos, esbugalhados, atrás de um par de óculos, gestos nervosos, urgentes, ansiedade transbordando. A sensação que percorreu meu corpo à aproximação dele não foi boa.

Combinamos de conversar em uma lanchonete próxima. Foch Diaz achava sua casa bastante apertada. Não se sentiria à vontade.

Não fiz objeção. Ele, o advogado e a menina seguiram num carro e meu táxi os acompanhou.

No caminho, de longe, se via a silhueta de Punta del Este, motivo de orgulho de todo uruguaio. Não era diferente com meu motorista. Apontou para a cidade e a exibiu para mim como um troféu.

Não mais que dez minutos depois, estávamos diante da lanchonete. Foch Diaz me apresentou ao advogado, e esse, à menina.

– Minha *chica* – disse Rafael, orgulhoso.

A garota, inesperadamente, se jogou em minha direção. Senti toda sua fragilidade quando me abraçou. Notei que tinha feridas espalhadas pelo corpo. Tive vontade de cuidar dela. O advogado percebeu:

– Ela esteve doente. Essa menina não gosta de nada, não se alimenta.

Tirei do bolso umas balas que pegara na recepção do hotel e dei a ela. Retribuiu com um sorriso. Quando, já dentro da lanchonete, escolhemos uma mesa, ela puxou a cadeira para sentar-se a meu lado. Não disse nada durante todo o tempo que estivemos ali, nem na hora em que o pai a forçou a comer um sanduíche de queijo. Apenas me olhava.

Enrique Foch Diaz falava alto, não admitia ser contrariado em sua tese de conspiração entre Cláudio Braga, Ivo Magalhães e Maria Thereza para se apossarem dos bens de Goulart, após sua morte. Tentei argumentar duas ou três vezes, mas desisti. Ele ficava agressivo. Repetia o mesmo que escreveu em seu livro *El crimen perfecto* muitas vezes. Não se dava conta de que eu estava ali. De que era uma entrevista. Repetia para si mesmo, numa busca desesperada para que ele próprio acreditasse em si mesmo. No final de tudo, me propôs uma sociedade, queria escrever outro livro contando tudo o que sabia. Sabia muito mais do que revelara, garantia. Eu seria um idiota se não topasse o negócio. Bastava conseguir um editor no Brasil e mudaríamos a história. Se não aceitasse, não tinha problema, arranjaria outro meio de contar tudo o que sabia – mas que não podia adiantar, não agora –, somente eu perderia com isso, ele não desistiria nunca. Mesmo sabendo que fora condenado por calúnia e difamação num processo que Cláudio Braga moveu contra ele. Por incrível que pareça, a decisão saíra justamente naquele período que passei no Uruguai. Cláudio me contara no dia anterior. Mais uma coincidência? Agora preferia pensar que sim. Estava exausto.

Foch Diaz não desistiria, mas eu desisti. Ali, naquela hora. Não queria mais. Precisava sair dali imediatamente. Não podia deixar aquele homem me convencer de que o repugnante era eu, não ele. Era tarde. Eu já me repugnava. Que direito tinha eu de invadir a vida de todas aquelas pessoas? Não só as do Uruguai, mas também as outras ligadas a Jango, a Juscelino e a Lacerda, à própria morte dos três. Questionar o que estava estabelecido, o que estava combinado e aceito por todos. Até mesmo Foch Diaz, com toda sua incongruência, tinha seu espaço nessa verdade acordada. Eu não. Sobrava. Agora, que tinha ciência de que meu ciclo estava se encerrando, mais ainda. Cada vez mais.

No início da noite, quando o avião decolou do aeroporto de Carrasco em direção ao Rio de Janeiro, tinha em mente o sorriso de Eva de Leon, amante de Jango, que, depois de muita insistência, fora ao hotel se encontrar comigo, meia hora antes de eu partir.

Desde antes de partir para o Uruguai, vinha tentando convencê-la, por telefone, a me receber. Pretendia mais cedo ou mais tarde ir ao Uruguai e queria entrevistá-la. Estava resistente, disse que já não era a mesma dos tempos de Jango, engordara muito, não queria se expor. Foi Ivo Magalhães, me contou ela depois, que a convencera. Não perguntei sob qual argumento. Mas com a condição de que não seria fotografada.

Ao descer do elevador, já com minha mala na mão, vi Eva sentada num sofá do *hall* do hotel. Era gorda sim, mas não era isso que chamava atenção. Os olhos verdes, grandes, redondos, intensos, que sorriam mais do que suas gargalhadas, que não eram poucas. Ria muito, de quase tudo. Estava convencido de que se tratava de uma mulher feliz, mas, sem querer, ela deixou escapar, de relance, o esforço descomunal que fazia para esconder a tristeza enrijecida. Foi quando me disse:

– Antes de partir para Mercedes, onde morreu, Jango me disse ao telefone: "Gordita, eu te amo." Ele nunca havia dito que me amava.

Volto para casa de mãos vazias, mas fiz o que podia. Devo ter errado em algum ponto de minha trajetória. Levantei todas as possibilidades a meu alcance. Acho que cheguei perto da verdade que buscava. Como tantos outros em tantos assuntos.

A dúvida permanecerá sempre. Sinto-me cansado, mas não desiludido. Agora, ao sobrevoar Montevidéu, eu tenho apenas um desejo: dizer para Verônica que a amo.

o fim antes da conclusão

Ele não tinha nenhum futuro – e a prova foi a morte dele, até certo ponto inesperada. O Repórter voltava mais uma vez do Uruguai, onde entrevistara dois personagens que acompanharam João Goulart no exílio e estiveram sempre perto do ex-presidente. No avião que o trazia de volta, ele se lembrou da viagem anterior ao sul, quando entrevistou um preso na Penitenciária de Charqueadas e descobriu que perdera tempo com uma turma que, apesar de ter participado do cerco policial a Jango, desejava vender informações que, verdadeiras ou não, ele não podia nem quereria comprar.

O abatimento foi insuportável – disse Verônica, que, mesmo não acreditando no trabalho que tanto custara ao amigo, admirava sua obstinação, sua vontade de desvendar um caso que se tornara a razão de sua vida – transformando o desafio, inicialmente profissional, num desafio mais amplo, vital para ele.

– Teve tempo para dizer que me amava – completou Verônica. – E nunca percebeu quanto eu o amara.

Notas

1 – A Editora Nova Fronteira foi fundada por Carlos Lacerda, logo após ter deixado o governo do antigo Estado da Guanabara.

2 – Livro de memórias de Carlos Lacerda.

3 – Nas conversas preliminares, ficara mais ou menos estabelecido que o candidato presidencial do movimento seria Lacerda ou JK, conforme avaliação a ser feita posteriormente, havendo ainda a possibilidade de um terceiro nome que poderia surgir no cenário que a Frente Ampla abriria.

4 – Os detalhes do encontro Jango-Lacerda, em Montevidéu, e a quase totalidade do texto foram extraídos da matéria publicada na revista *Fatos&Fotos*, número 349, de 7 de outubro de 1967, e assinada pelo jornalista Carlos Leonam, acrescidos de comentários do mesmo jornalista em entrevista dada aos autores deste livro. Os detalhes do enterro de Lacerda fazem parte da matéria publicada na *Folha de S.Paulo* em 22 de maio de 1977.

5 – Mais tarde, pouco antes da prescrição do acidente na fase judicial, o ex-assessor de JK, Serafim Jardim, formalizou a hipótese da bomba e do atirador de elite.

6 – Anos mais tarde, investigações detalhadas classificaram como atentado político a morte da mãe de Stuart Angel, jovem que foi torturado e assassinado pelo regime militar.

7 – *Memorial do exílio*, 1981, Bloch Editores, p. 148.

8 – O general Sylvio Frota, ministro da Guerra, manipulado pela linha dura, pretendia depor o general Geisel da presidência da República, para impedir a abertura política que estava em andamento. O caso está bem documentado no livro de Elio Gaspari, na introdução de *A ditadura envergonhada* (ver, no anexo, o texto citado). Não seria, porém, a última tentativa da linha dura em derrubar o processo de distensão iniciado por Geisel e Golbery. Em 1981, já no último governo militar, presidido pelo general João Figueiredo, a bomba que explodiu no Riocentro por ocasião de um *show* de música popular demonstrou que os gorilas da linha dura ainda tentavam interromper o processo penosamente conduzido pelos militares moderados. Dois militares, um capitão e um sargento, foram

vitimados pela explosão antecipada de uma bomba que teria matado centenas de jovens que curtiam um *show* com alguns dos maiores artistas da época.

9 – Segue o resumo do livro de Oriana Fallaci, *Um uomo*, em que narra o acidente de automóvel em que morreu o deputado Alekos Panagulis, que liderava a oposição contra os coronéis que dominavam o regime de direita radical naquele país. A mecânica do acidente foi parecida com a do desastre que matou Zuzu Angel.

10 – O repórter Carlos Leonam fazia parte do grupo de amigos, funcionários e jornalistas que ficaram entrincheirados no Palácio Guanabara entre 31 de março e 1º de abril de 1964, a serviço do *Jornal do Brasil*.

11 – O coronel Contreras, antigo diretor do Dina (Dirección de Inteligencia Nacional), atualmente cumpre pena de prisão por ter sido o principal responsável pelo atentado que matou Orlando Letelier, ministro da Fazenda do governo de Allende, quando uma bomba destruiu seu carro em Washington, pouco depois do acidente em que morreria Juscelino Kubitschek na estrada Rio–São Paulo.

O Dina era o órgão central de informações do governo chileno ao tempo da ditadura de Augusto Pinochet. A carta foi divulgada em 1978 pelo colunista norte-americano Jack Anderson, e a assinatura de Contreras confere com a de outros documentos oficiais que ele assinava, inclusive com o da convocação de uma reunião que se realizou de 25 de novembro a 1º de dezembro de 1975, em Santiago do Chile, destinada a um plenário dos órgãos de inteligência da América Latina que daria melhor coordenação para garantir a segurança de "nossos respectivos países".

12 – Há uma vasta e bem documentada bibliografia a respeito, entre outros: *O golpe começou em Washington*, de Emar Morel, 1965; e *A batalha da América Latina*, de Otto Maria Carpeaux, 1966.

13 – 29 de março de 1964 – Juscelino Kubitschek de Oliveira visitou o ministro da Guerra Jair Dantas Ribeiro no Hospital dos Servidores do Estado do Rio de Janeiro. Kubitschek disse a Ribeiro que os eventos envolvendo a crise do Ministério da Marinha de Guerra o convenceram de que o presidente João Goulart tinha aderido completamente aos esquerdistas e aos comunistas e que "não voltaria atrás". Kubitschek ainda

disse que seria essencial que Ribeiro permanecesse como ministro, já que, se ficasse fora do caminho, Goulart "teria as mãos livres".

14 – A propósito: o argumento dos governos da Argentina e do Uruguai para se livrarem de Brizola era o risco de um assassinato do ex-governador, considerado, por muitos militares, o elemento mais perigoso da subversão contra os regimes de força. No depoimento prestado por Percy Penalvo na Comissão da Câmara dos Deputados, ele depôs textualmente: "Como nós falamos, se ele (Jango) não estava seguro no Uruguai, o Dr. Brizola também não estava. Aí ele mesmo disse que eu fosse conversar com o Brizola para ele sair, ir embora para outro país. Mas, quando ele veio, deve ter conversado com o pessoal de lá (da Europa) sobre a situação. Percy me disse: 'O pessoal da Europa está muito preocupado com o Brizola'. E o Mário Soares manda dizer que tem trabalho para ele em Portugal, entendeu? E eu falei isso com o Dr. Brizola".

15 – Olaf Palme seria assassinado pouco depois, mas aparentemente por motivos alheios à política.

16 – O resumo do prontuário foi feito pelo Dr. Alexandrinos S. Botsaris, ex-médico do Serviço de Doenças Infecciosas do HCE, especializado em doenças infecciosas no Hospital Claude Bernard, Paris, 1984.

17 – Os dados foram extraídos dos depoimentos de Cláudio Braga e Almino Afonso.

Anexos

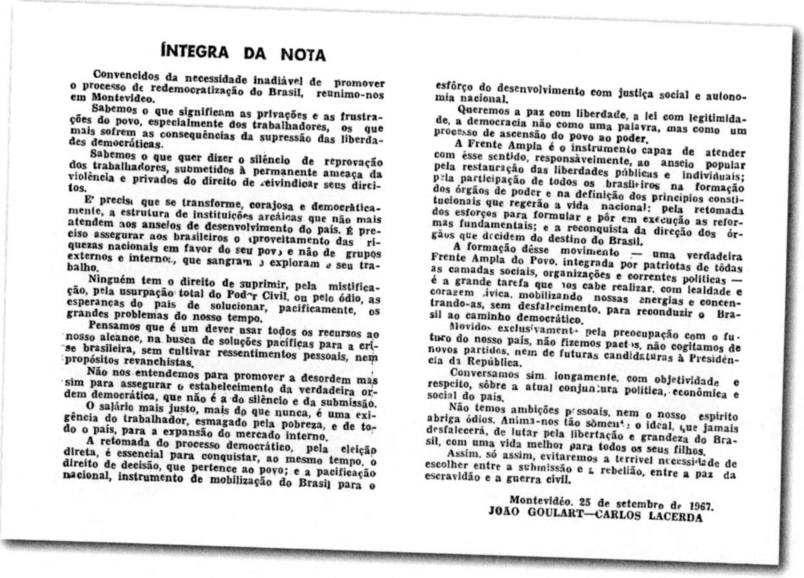

ÍNTEGRA DA NOTA

Convencidos da necessidade inadiável de promover o processo de redemocratização do Brasil, reunimo-nos em Montevideo.

Sabemos o que significam as privações e as frustrações do povo, especialmente dos trabalhadores, os que mais sofrem as consequências da supressão das liberdades democráticas.

Sabemos o que quer dizer o silêncio de reprovação dos trabalhadores, submetidos à permanente ameaça da violência e privados do direito de reivindicar seus direitos.

E' preciso que se transforme, corajosa e democràticamente, a estrutura de instituições arcáicas que não mais atendem aos anseios de desenvolvimento do país. É preciso assegurar aos brasileiros o aproveitamento das riquezas nacionais em favor do seu povo e não de grupos externos e internos, que sangram e exploram o seu trabalho.

Ninguém tem o direito de suprimir, pela mistificação, pela usurpação total do Poder Civil, ou pelo ódio, as esperanças do país de solucionar, pacificamente, os grandes problemas do nosso tempo.

Pensamos que é um dever usar todos os recursos ao nosso alcance, na busca de soluções pacíficas para a crise brasileira, sem cultivar ressentimentos pessoais, nem propósitos revanchistas.

Não nos entendemos para promover a desordem mas sim para assegurar o estabelecimento da verdadeira ordem democrática, que não é a do silêncio e da submissão.

O salário mais justo, mais do que nunca, é uma exigência do trabalhador, esmagado pela pobreza, e de todo o país, para a expansão do mercado interno.

A retomada do processo democrático, pela eleição direta, é essencial para conquistar, ao mesmo tempo, o direito de decisão, que pertence ao povo; e a pacificação nacional, instrumento de mobilização do Brasil para o esfôrço do desenvolvimento com justiça social e autonomia nacional.

Queremos a paz com liberdade, a lei com legitimidade, a democracia não como uma palavra, mas como um processo de ascensão do povo ao poder.

A Frente Ampla é o instrumento capaz de atender com êsse sentido, responsàvelmente, ao anseio popular pela restauração das liberdades públicas e individuais; pela participação de todos os brasileiros na formação dos órgãos de poder e na definição dos princípios constitucionais que regerão a vida nacional; pela retomada dos esforços para formular e pôr em execução as reformas fundamentais; e a reconquista da direção dos órgãos que decidem do destino do Brasil.

A formação dêsse movimento — uma verdadeira Frente Ampla do Povo, integrada por patriotas de tôdas as camadas sociais, organizações e correntes políticas — é a grande tarefa que nos cabe realizar, com lealdade e coragem cívica, mobilizando nossas energias e concentrando-as, sem desfalecimento, para reconduzir o Brasil ao caminho democrático.

Movidos exclusivamente pela preocupação com o futuro do nosso país, não fizemos pactos, não cogitamos de novos partidos, nem de futuras candidaturas à Presidência da República.

Conversamos sim, longamente, com objetividade e respeito, sôbre a atual conjuntura política, econômica e social do país.

Não temos ambições pessoais, nem o nosso espírito abriga ódios. Anima-nos tão sòmente o ideal, que jamais desfalecerá, de lutar pela libertação e grandeza do Brasil, com uma vida melhor para todos os seus filhos.

Assim, só assim, evitaremos a terrível necessidade de escolher entre a submissão e a rebelião, entre a paz da escravidão e a guerra civil.

Montevidéo, 25 de setembro de 1967.
JOÃO GOULART—CARLOS LACERDA

Íntegra da Nota Frente Ampla

Convencidos da necessidade inadiável de promover o processo de redemocratização do Brasil, reunimo-nos em Montevideo. Sabemos o que significam as privações e as frustrações do povo, especialmente dos trabalhadores, os que mais sofrem as conseqüências da supressão das liberdades democráticas. Sabemos o que quer dizer o silêncio da reprovação dos trabalhadores, submetidos à permanente ameaça da violência e privados do direito de reivindicar seus direitos. É preciso que se transforme, corajosa e democraticamente, a estrutura das instituições arcaicaś que não mais atendem aos anseios de desenvolvimento do país. É preciso assegurar aos brasileiros o aproveitamento das riquezas nacionais em favor do seu povo e não de grupos externos e internos, que sangram e exploram o seu trabalho.

Ninguém tem o direito de suprimir, pela mistificação, pela usurpação total do Poder Civil, ou pelo ódio, as esperanças do país de solucionar, pacificamente, os grandes problemas do nosso tempo. Pensamos que é um dever usar todos os recursos ao nosso alcance, na busca de soluções pacíficas para a crise brasileira, sem cultivar ressentimentos pessoais, nem propósitos revanchistas. Não nos entendemos para promover a desordem mas sim para assegurar o estabelecimento da verdadeira ordem democrática, que não é a do silêncio e da submissão. O salário mais justo, mais do que nunca, é uma exigência do trabalhador, esmagado pela pobreza, e de todo o país, para a expansão do mercado interno.

A retomada do processo democrático, pela eleição direta, é essencial para conquistar, ao mesmo tempo, o direito de decisão, que pertence ao povo; e a pacificação nacional, instrumento de mobilização do Brasil para o esforço do desenvolvimento com justiça social e autonomia nacional. Queremos a paz com liberdade, a lei com legitimidade, a democracia não como uma palavra, mas como um processo de ascensão do povo ao poder. A Frente Ampla é o instrumento capaz de atender com esse sentido, responsavelmente, ao anseio popular pela restauração das liberdades públicas e individuais; pela participação de todos os brasileiros na formação dos órgãos de poder e na definição dos princípios constitucionais que regerão a vida nacional; pela retomada dos esforços para formular e pôr em execução as reformas fundamentais; e a reconquista da direção dos órgãos que decidem do destino do Brasil.

A formação desse movimento – uma verdadeira Frente Ampla do Povo, integrada por patriotas de todas as camadas sociais, organizações e correntes políticas – é a grande tarefa que nos cabe realizar, com lealdade e coragem cívica, mobilizando nossas energias e concentrando-as, sem desfalecimento, para reconduzir o Brasil ao caminho democrático. Movidos exclusivamente pela preocupação com o futuro do nosso país, não fizemos pactos, não cogitamos de novos partidos, nem de futuras candidaturas à Presidência da República. Conversamos sim longamente, com objetividade e respeito, sobre a atual conjuntura política, econômica e social do país. Não temos ambições pessoais, nem o nosso espírito abriga ódios. Anima-nos tão somente o ideal, que jamais desfalecerá, de lutar pela libertação e grandeza do Brasil, com uma vida melhor para todos os seus filhos.

Assim, só assim, evitaremos a terrível necessidade de escolher entre a submissão e a rebelião, entre a paz da escravidão e a guerra civil.

Mondevideo, 25 de setembro de 1967
João Goulart – Carlos Lacerda

TRECHO DA MATÉRIA PUBLICADA NO JORNAL *O GLOBO*, EM 20 DE AGOSTO DE 1982

Júlio Vieira se encontrava na estância "La Villa", na Argentina, na noite

Justiça argentina va[i pedir] exumação do corpo d[e Jango]

A Justiça argentina solicitará ao Governo brasileiro a exumação do corpo do ex-presidente João Goulart, sepultado em São Borja, para a realização de necropsia. A medida se deve à denúncia judicial apresentada pelo advogado uruguaio Enrique Foch Díaz, levantando a suspeita de que a morte do ex-Presidente, ocorrida em 6 de dezembro de 1976, possa ter sido por envenenamento e não por infarto do miocárdio, como foi diagnosticado à época. O juiz Juan Espinoza, do tribunal argentino de Curuzu Cuatia, onde corre o processo, disse ontem que o caso somente poderá ser apurado com a exumação, ao lado do depoimento de pessoas que conviveram com Goulart nos últimos anos.

Júlio Vieira, amigo e sócio do ex-Presidente, contou ontem em Mercedes, Argentina, que ele não se queixou de qualquer indisposição nem tomou bebidas alcoólicas na noite de sua morte.

Página 3

ANO LVIII — Rio de Janeiro, sexta-feira, 20 de agosto de 1982 — Nº 17.825

O GLOBO

FUNDAÇÃO DE IRINEU MARINHO

Diretor-Redator-Chefe ROBERTO MARINHO

Vice-Presidentes
ROGERIO MARINHO
JOAO ROBERTO MARINHO

Diretor Secretário RICARDO MARINHO
Diretor de Redação
EVANDRO CARLOS DE ANDRADE

Justiça Argentina vai pedir exumação do corpo de Jango

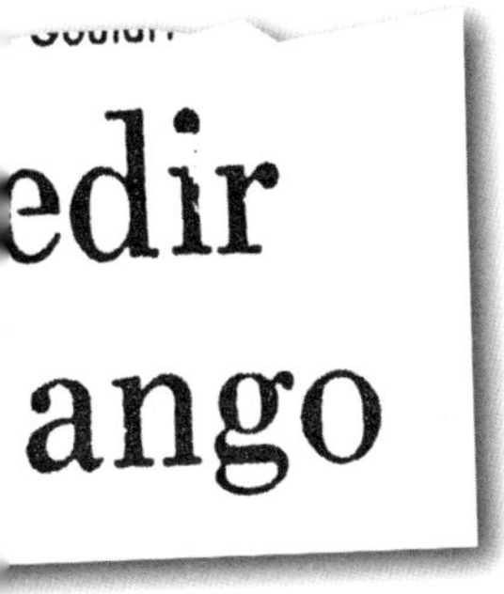

URUGUAIANA (O GLOBO) – A Justiça Argentina vai solicitar ao Governo brasileiro a exumação do corpo do ex-presidente João Goulart, sepultado em São Borja, para a realização de uma necropsia. Com essa medida, seria possível apurar se o ex-Presidente foi envenenado, conforme denúncia do advogado uruguaio Enrique Foch Diaz, que pediu à Justiça maiores esclarecimentos sobre a morte de Goulart.

O juiz Juan Espinoza, do Tribunal Criminal de Curuzu Cuatia, que está apurando o caso, disse ontem que somente após ouvir os depoimentos de pessoas que conviveram nos últimos anos com Goulart e com a exumação do corpo é que então se poderá chegar a uma conclusão sobre o alegado envenenamento.

Ele não quis dar maiores informações sobre o processo, explicando ter recebido determinação do Ministério do Interior argentino para manter em sigilo as investigações. Informou apenas que, no começo da semana, recebeu ordens para dar início ao processo.

O DENUNCIANTE

Localizado em Punta del Este pela reportagem do matutino "El País", de Montevidéu, o fazendeiro, advogado e ex-piloto da Força Aérea uruguaia Enrique Foch Diaz disse que, por ser parte no processo instaurado no Foro de Curuzu Cuatia, na Província de Corrientes, para apurar as circunstâncias em que ocorreu a morte do ex-presidente João Goulart, está impossibilitado de fornecer maiores elementos ou esclarecer as causas que o levaram a tomar essa atitude.

Apesar disso, Foch Diaz concordou em responder a algumas perguntas da jornalista Marta Vial, a única a ter acesso ao seu apartamento, no Edifício Ligúria, em Punta del Este.

A entrevista foi a seguinte:

— Qual é o real conteúdo da denúncia apresentada pelo senhor ante o Juizado de Curuzu Cuatia na Província de Corrientes?

— A denúncia foi apresentada como "morte duvidosa" do ex-presidente brasileiro.

— Esse termo pode significar que Goulart não morreu de morte natural?

— Morte duvidosa é uma tipificação legal: dúvidas sobre a morte natural de uma pessoa.

— Por que essas dúvidas?

— Não posso dizer.

— O senhor age só, ou por acaso, existem outras pessoas interessadas no caso?

— Diante da Justiça, me apresentei só, mas quem direta ou indiretamente conheceu o Dr. Goulart em vida, também afirma o mesmo. Quero dizer: seus pilotos, gente a seu serviço, seus amigos e o pessoal de suas estâncias, inclusive aqui no Uruguai.

— E a família do ex-presidente?

— Reiteradamente, a seus filhos e à sua viúva tenho informado sobre a situação. Mas agora, perdoe-me não posso continuar essa conversa.

Marta Vial insistiu e perguntou a Foch Diaz que eventuais conseqüências poderá provocar a investigação judicial:

— Só posso dizer que estou apenas no começo de uma extensa trama de acontecimentos. E, agora, somente a Justiça argentina é que poderá dizer a última palavra — respondeu ele.

Amigo não notou indisposição

URUGUAIANA (O GLOBO) — O ex-presidente João Goulart não se queixou de qualquer indisposição nem tomou bebidas alcoólicas na noite em que morreu. A revelação é de um amigo íntimo do ex-Presidente, Júlio Vieira, que foi seu sócio numa plantação de arroz, em entrevista dada ontem em Mercedes, na Argentina.

Segundo o seu relato, o ex-Presidente ficou três dias em Tacuarembo, no Uruguai, voltando a 5 de dezembro de 1976 a Argentina, passando por Paso de Los Libres, na fronteira com o Brasil, onde almoçou. Depois, foi de automóvel até Mercedes, na Província de Corrientes.

Júlio Vieira disse que o ex-Presidente aparentava tranqüilidade, "pois estava vivendo um momento calmo de sua vida".

— Ele havia conseguido uma escola para João Vicente estudar em Londres e estava novamente junto de sua mulher, Maria Teresa. Naquela noite, o doutor (como os amigos chamavam o ex-Presidente) não quis tomar qualquer bebida alcóolica. Apenas comeu algumas frutas, pois estava de regime, e foi se deitar. A uma hora da madrugada ele morreu — contou Júlio Vieira.

VENENO

Quanto à possibilidade de o ex-Presidente ter sido assassinado, pela co-

Enrique Foch Diaz

ticular, na França, o havia advertido de que poderiam ocorrer problemas devido à gordura e ao abuso de bebidas.

— O médico assustou bastante o doutor, que acabou se cuidando um pouco, moderando-se na alimentação. Mas ele não cumpria à risca as determinações médicas;

tratar de políticos, ex-políticos e filhos de gente importante. Mas não se falava de política, só de negócios ou distrações.

Vieira contou ainda que Jango recebera um convite para voltar ao Brasil e que "a proposta fora feita por militares", mas ele acabou recusando. Segundo Vieira, o

Amigo não notou indisposição

URUGUAIANA (O GLOBO) – O ex-presidente João Goulart não se queixou de qualquer indisposição nem tomou bebidas alcoólicas na noite em que morreu. A revelação é de um amigo íntimo do ex-Presidente, Júlio Vieira, que foi seu sócio numa plantação de arroz, em entrevista dada ontem em Mercedes, na Argentina.

Segundo o seu relato, o ex-Presidente ficou três dias em Tacuarembo, no Uruguai, voltando a 5 de dezembro de 1976 a Argentina, passando por Paso de Los Libres, na fronteira com o Brasil, onde almoçou. Depois, foi de automóvel até Mercedes, na Província de Corrientes.

Júlio Viera disse que o ex-Presidente aparentava tranqüilidade, "pois estava vivendo um momento calmo de sua vida".

[...]

VENENO

Quanto à possibilidade de o ex-Presidente ter sido assassinado, pela colocação de veneno em sua bebida, Júlio Vieira limitou-se a responder:

– Não posso dizer nem que sim, nem que não.

Ele conheceu Goulart por intermédio de Mario la Veccha, um amigo comum, que o apresentou ao ex-Presidente em 1973.

– O que o doutor mais gostava na vida era negociar. Ele adorava uma proposta de sociedade e recebia várias por dia. Assim, ficamos sócios numa plantação de arroz, em que eu entrava com o trabalho e a administração e ele com as máquinas, capital e sementes – explicou Vieira, que conviveu diariamente com Jango em seus últimos três anos de vida.

Foi ele quem acabou ficando com o cachorro do ex-Presidente, um enorme mestiço preto, apelidado de "Gaúcho" e que até hoje está na casa de Vieira, em Mercedes. Ele contou que Jango estava preocupado com a saúde, pois seu médico particular, na França, o havia advertido de que poderiam ocorrer problemas devido à gordura e ao abuso de bebidas.

– O médico assustou bastante o doutor, que acabou se cuidando um pouco, moderando-se na alimentação. Mas ele não cumpria à risca as determinações médicas: quando passava dois ou três dias sem beber ou jantar, no quarto tirava a diferença – disse Vieira que contou que o ex-Presidente fumava, em média, duas carteiras de cigarros por dia.

INQUIETO

— "Jango não parava quieto num lugar mais de dois dias", pois fazia viagens seguidas pelo interior da Argentina e Uruguai. No entanto, a estância de que mais gostava entre as suas propriedades era "La Villa", a 15 quilômetros de Mercedes, com cerca de dois mil hectares. A estância foi vendida depois de sua morte a um estancieiro chamado Vidal Jaime, que ainda mantém o nome do local – disse Vieira.

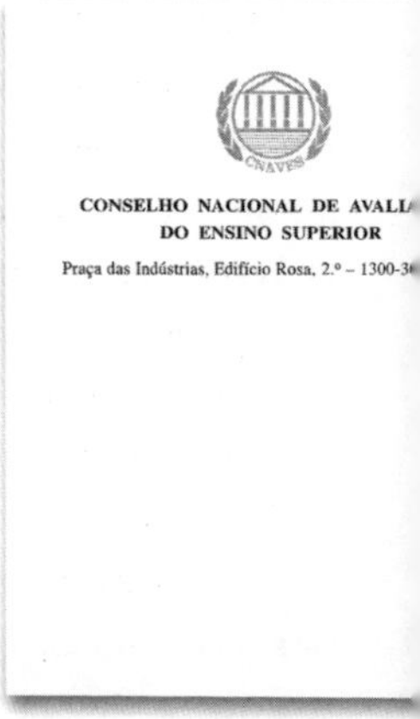
CONSELHO NACIONAL DE AVAL
DO ENSINO SUPERIOR
Praça das Indústrias, Edifício Rosa, 2.º – 1300-3

— Em "La Villa" – prosseguiu – o doutor estava cercado de vários amigos, alguns dos quais não gostava, mas tinha de aturar, conforme me explicou, por se tratar de políticos, ex-políticos e filhos de gente importante. Mas não se falava de política, só de negócios ou distrações.

Vieira contou ainda que Jango recebera um convite para voltar ao Brasil e que "a proposta fora feita por militares", mas ele acabou recusando. Segundo Vieira, o ex-Presidente tinha medo de aborrecer-se por qualquer motivo que fosse, quando voltasse ao Brasil, "mesmo com um pequeno incidente". Disse que o ex-Presidente "sempre se avistava ou mesmo almoçava ou jantava com altas autoridades militares brasileiras, quando passava por Paso de Los Libres". Contou ainda que Goulart tinha contato seguido com essas autoridades e relatou o seguinte:

— Certa vez, o doutor e eu estávamos tomando mate em "La Villa" quando ele me disse que tinha problemas com suas terras no norte do País. Explicou-me então que teria de falar com o "alemão", para resolver o caso. Fiquei intrigado, pois não havia ninguém no nosso círculo mais íntimo de amizade que tivesse este apelido. Dias após, perguntei ao doutor quem era esse tal de "alemão". Ele, com seu jeito simples, disse-me: "o presidente Geisel". E acrescentou: "por falar nisso, os problemas foram resolvidos".

Ao lado, Carta de Adriano Moreira para Carlos Heitor Cony

Exmº. Senhor

Dr. Carlos Heitor Cony

Lisboa, 12 de Dezembro de 2002

Meu caro Carlos Heitor Cony:

Li com muito interesse o seu livro *JK - Como nasce uma estrela*, de que ontem fez o lançamento, com êxito, na Embaixada do Brasil. Confirmo, como deseja, que o Presidente Juscelino, por quem tive grande admiração e amizade, no dia do acidente (22 de Agosto de 1976) vinha para o Rio de Janeiro, onde tínhamos aprazado um almoço no dia seguinte. Trataríamos de uma questão judicial que em Lisboa o incomodava, e sobre a qual pretendia orientação e apoio para rapidamente lhe colocar um ponto final. Foi em casa do Adolfo Block, onde o Cony também se encontrava, que tivemos notícia da tragédia, que Adolfo se recusava a acreditar. A minha agenda, que lhe mostrei, tirou-lhe toda a esperança, e a crise de saúde que imediatamente o atingiu mostrou mais uma vez a profundidade da estima entre ambos.

Com os melhores cumprimentos,

TRECHO DO LIVRO "A DITADURA ENVERGONHADA", DE ELIO GASPARI.

"O Frota queria me emparedar, mas eu emparedei ele", explicava Geisel. Ele vira, doze anos antes, como o ministro da Guerra, general Arthur da Costa e Silva, emparedara o marechal Humberto Castello Branco e o obrigara a aceitá-lo como seu sucessor. Como chefe do Gabinete Militar de Castello, nunca se conformou com o fato de ele não ter seguido seus conselhos e arriscado um confronto com Costa e Silva. O dia 12 de outubro de 1977, para o general-de-exército Ernesto Geisel, era uma revanche da batalha que perdera em 65, como general-de-divisão.

Enquanto Frota procurava dar um golpe de manual, com generais chamados ao QG, manifesto e a indefectível lembrança do perigo vermelho, Geisel conduzia do Planalto duas operações simultâneas. Uma, resultante da natureza pública da demissão, o país podia perceber. A outra deveria escapar à publicidade. A primeira era tirar Frota. A segunda, colocar no seu cargo um novo ministro sem que houvesse dúvida de que era o presidente quem mandava no Exército. Precisava da primeira para continuar no poder. A segunda era necessária para restabelecer a ordem nos quartéis e prosseguir seu projeto de "lenta, gradativa e segura distensão", anunciado cinco meses depois de ele tomar posse, em 1974.

Os detalhes de natureza prática da execução de Frota são curiosos a partir da data, escolhida por Geisel. No dia 12 de outubro o feriado era uma exclusividade dos moradores de Brasília. Enquanto todas as guarnições militares do país trabalhavam normalmente, a da capital, onde o ministro do Exército tinha os seus oficiais de estrita confiança, estava quase sem pessoal. O general, apanhado de surpresa, teria dificuldade para movimentar suas peças. Imaginada havia meses, decidida duas semanas antes e planejada por quase dez dias, a demissão do ministro coincidia propositalmente com o feriado.

Os generais de Frota acordaram tarde e os de Geisel, de véspera. Quando o ministro, a bordo de seu Landau, passou a caminho do Planalto pelo QG da 3ª Brigada de Infantaria Motorizada, a mais poderosa força militar de Brasília, no mastro do quartel tremulava o estandarte do comandante. O general Roberto França Domingues, casado com uma sobrinha de Geisel, estava em seu posto de comando, apesar do feriado. O presidente montara um dispositivo pelo qual os oficiais fiéis ao seu esquema souberam antecipadamente da demissão.

Desde o sábado anterior o chefe do Gabinete Militar da Presidência, general Hugo Abreu, tomara o que ele mais tarde chamaria de "medidas de segurança preliminares". Consistiam num dispositivo pelo qual, no exato momento em que Frota fosse demitido, os comandantes dos quatro Exércitos estariam sendo avisados em nome do Planalto.

Por cautela, Geisel tomara suas próprias medidas de segurança complementares e avisara dois desses quatro generais. Um de seus mais antigos colaboradores, o general Gustavo Moraes Rego, da 11ª Brigada de Infantaria Blindada, em Campinas, levara a notícia ao comandante do II Exército, em São Paulo. Dois dias antes, Geisel revelara o segredo ao comandante do I Exército, José Pinto de Araujo Rabello, sob cujas ordens estavam as tropas do Rio e de Minas Gerais. "Já devia ter tirado", respondeu-lhe o general.

Para a operação do dia 12, o chefe da segurança de Geisel, tenente-coronel Germano Arnoldi Pedrozo, reforçara a sua própria guarda, tanto com homens como com armas. O secretário particular do presidente, Heitor Aquino Ferreira, homem de confiança de Golbery, conta que "naquele dia os corredores estavam povoados com gente que eu nunca tinha visto, um pessoal que não se separava de umas maletinhas". Em algumas dessas maletinhas havia submetralhadoras. A própria gaveta de Heitor guardava uma pistola. Sobre a grande laje do teto do Planalto, Pedrozo dispusera observadores capazes de controlar as cercanias do palácio. O chefe da segurança, considerado um obsessivo até por seus amigos, propôs a Geisel que um de seus homens ficasse no gabinete durante a audiência, para evitar qualquer possível contratempo. A idéia foi rejeitada pelo presidente. A segurança do palácio, ingrediente essencial em toda crise militar, tinha motivos para ser reforçada. Poucos meses antes, Frota colocara no comando do Batalhão da Guarda Presidencial um coronel de sua confiança. Pela rotina, em outubro o Planalto estava entregue a uma tropa do Regimento de Cavalaria de Guarda, comandado por um oficial leal ao presidente e íntimo do chefe do seu Serviço Nacional de Informações, o general João Baptista Figueiredo.

Garantidos os principais comandantes de tropa nos estados, assegurada a proteção do palácio, preservado o sigilo e encerrada a audiência com o ministro, Geisel concluíra o que se poderia chamar de primeira parte da engenharia da demissão. Marchara para o confronto sem nenhum receio quanto ao seu desfecho. Diante de uma pergunta relacionada com sua segurança pessoal, responderia: "Se eu tivesse qualquer receio, não teria deixado minha mulher e minha filha no Alvorada".

A partir de então jogavam as pretas, as pedras de Frota.

De volta ao seu quartel-general, o ministro fez acréscimos ao texto de um discurso que havia preparado semanas antes, adaptando-o às novas circunstâncias, e convocou os dez generais que compunham o Alto-Comando do Exército. O feriado voltava a atrapalhá-lo. Três dos quatro generais comandantes de exércitos encontravam-se em suas sedes, longe de Brasília, enquanto quatro dos que deveriam estar na capital tinham viajado. O chefe do Estado-Maior, por exemplo, estava no Piauí. O diretor do Material Bélico, em São Paulo. Até o seu chefe-de-gabinete estava no Rio. No quartel-general, onde habitualmente trabalhavam 2500 pessoas, havia cerca de duzentas. Quando a notícia da demissão se espalhou, começaram a chegar ao QG oficiais dispostos a resistir. Um coronel de seu serviço de imprensa, localizado num clube, veio de bermudas. Alguns traziam granadas na cintura. Em uniforme de campanha, vieram os comandantes do Batalhão da Guarda e da Polícia do Exército, unidades de elite. Somadas, tinham poder de fogo equivalente ao das demais unidades da capital, compostas em sua maioria de recrutas.

Às quinze horas Frota ouviu de um jornalista:

— General, qual é a evolução lógica dos acontecimentos?

— Não sei. Estamos esperando que as coisas aconteçam.

Quatro horas depois o mesmo jornalista voltou a telefonar, com a mesma pergunta. Frota já não esperava por mais nada: "Você acha que pode ter alguma coisa? [...] A situação agora é com o presidente".

Carta de Lacerda para José Geraldo Nogueira. Escrita em 15 de maio de 1977, ela foi assinada por sua secretária, que explica no final do texto: "Não foi possível Dr. Carlos assinar esta carta devido ao seu estado de saúde".

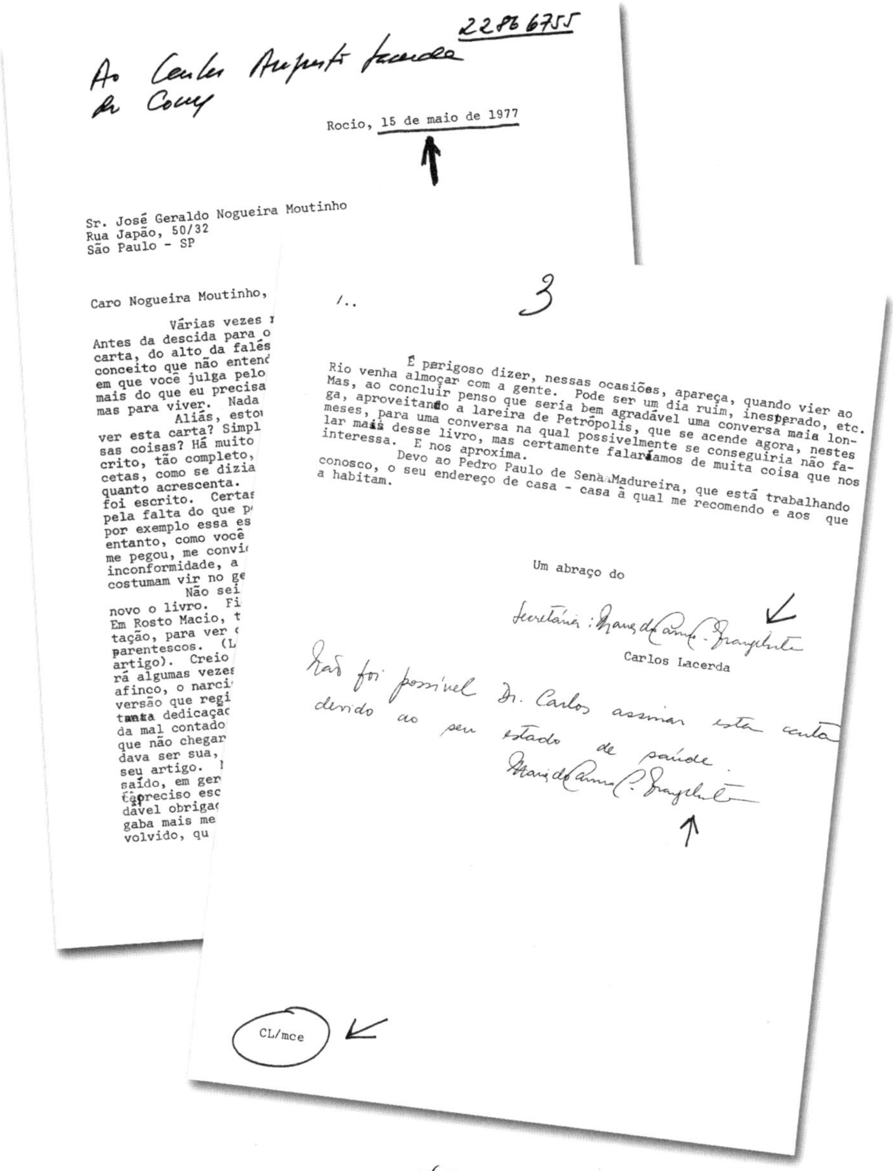

22866755

Rocio, 15 de maio de 1977

Sr. José Geraldo Nogueira Moutinho
Rua Japão, 50/32
São Paulo - SP

Caro Nogueira Moutinho,

/..

3

É perigoso dizer, nessas ocasiões, apareça, quando vier ao Rio venha almoçar com a gente. Pode ser um dia ruim, inesperado, etc. Mas, ao concluir penso que seria bem agradável uma conversa mais longa, aproveitando a lareira de Petrópolis, que se acende agora, nestes meses, para uma conversa na qual possivelmente se conseguiria não falar mais desse livro, mas certamente falaríamos de muita coisa que nos interessa. E nos aproxima.

Devo ao Pedro Paulo de Sena Madureira, que está trabalhando conosco, o seu endereço de casa - casa à qual me recomendo e aos que a habitam.

Um abraço do

Secretária:

Carlos Lacerda

Não foi possível Dr. Carlos assinar esta carta devido ao seu estado de saúde

CL/mce

REPUBLICA DE CHILE
PRESIDENCIA DE LA REPUBLICA
D.I.NA.

CONFIDENCIAL

SANTIAGO, 28 de Agosto de 1975.

Distinguido señor General:

He recibido su envío del 21 de
Agosto de 1975 y al agradecerle su oportuna y precisa
información me es grato expresarle mi satisfacción por
su colaboración que debemos estrechar aún más.

En respuesta cumplo en comuni-
carle lo siguiente:

1) Comparto su preocupación por el posible triunfo del
Partido Demócrata en las próximas elecciones presi-
denciales en los Estados Unidos. También tenemos co-
nocimiento del reiterado apoyo de los demócratas a
Kubichek y Letelier, lo que en el futuro podría in-
fluenciar seriamente en la estabilidad del Cono Sur
de nuestro hemisferio.

2: El plan propuesto por Ud. para coordinar nuestra ac-
ción contra ciertas autoridades eclesiásticas y cono-
cidos políticos socialdemócratas y democratacristia-
nos de América Latina y Europa, cuenta con nuestro
decidido apoyo.

3) Su información sobre Guyana y Jamaica es de una indu-
dable importancia para esta Dirección.

Por creerlo de interés para Ud.
le comunico que últimamente el Gobierno de Chile tomó la
decisión de liberar un grupo de presos que serán expulsa-
dos a países europeos. Le transmitiremos a medida que
nos vaya llegando, la información relativa a la actividad
política de estos liberados y sus eventuales contactos
con la emigración brasileña.

Lo saluda muy atentamente,

MANUEL CONTRERAS SEPULVEDA
CORONEL
DIRECTOR DE INTELIGENCIA NACIONAL.

AL SEÑOR GENERAL DE DIVISIÓN
JOAO BATTISTA DE OLIVEIRA FIGUEIREDO,
[illegible] SERVICIO NACIONAL DE INFORMACIONES,

Carta enviada pelo coronel Manuel Contreras Sepúlveda, chefe do DINA (Dirección de Inteligência Nacional) para o chefe do SNI (Serviço Nacional de Informações), general João Baptista Figueiredo em 28 de agosto de 1975. Nela Contreras informa que sabia do "reiterado apoio dos democratas a Kubitschek e Letelier, o que no futuro poderia influenciar seriamente a estabilidade do Cone Sul do hemisfério".

Quarta-feira, 23 de maio de 2001 O GLOBO SEGUNDO CADERNO • 3

HILDEGARD ANGEL

FECHOU O tradicional salão Adela, que fez a cabeça de tantas socialites, na Paul

Relatório de Miro isenta viúva de Jango...

• O AUTOR da denúncia de assassinato contra Maria Thereza, Enrique Foch Diaz, que se apresenta como grande amigo de João Goulart, é visto pelo deputado Miro Teixeira como um agente duplo. O que estará revelado no relatório final da comissão que investiga a morte de Jango...

• MIRO, RELATOR da comissão e detentor de todos os documentos, afirma categoricamente que tentar envolver o nome de Maria Thereza Goulart no episódio é uma manobra para desviar o foco. Por outros caminhos investigatórios, como os depoimentos de Arraes, Neiva Moreira e outros amigos de Jango, amigos de verdade, a comissão encontra pegadas... pegadas

marra: o povo, em São Borja, pegou o caixão e o levou na mão...

• O RELATÓRIO do Serviço Secreto do Exército, que o deputado Miro Teixeira obteve na Abin, com o general Cardoso, mostra como tudo foi monitorado: quem estava lá, quem não estava e por quê!...

• DAR O CRÉDITO desse enredo a Maria Thereza, e aprofundar investigações nessa direção, às custas do erário, como fazem deputados, é querer tirar a discussão do eixo central: a participação de militares brasileiros na Condor. E o assassinato de Jango por ela...

• MATAR OS

borbulhantes

• PRIMEIRO, ESCOLHE-SE, de propósito, como período de base da redução de 20%, o período de menor consumo de eletricidade — maio, junho, julho. O que sugere má-fé. Podia ao menos ser a média anual... • DEPOIS, JOGA-SE sobretaxa de 200%. E esse dinheiro vai direto pro governo satisfazer sua voracidade fiscal, sua compulsão de fazer caixa. Para financiar o quê? Marka? Fonte Cindam? O rombo do TRT? Esse tipo de coisas?... • VEJAM O ABSURDO: quem vende o serviço ganha x, quem multa sobre ele ganha xx, o dobro, limpinhos. É um negócio que desafia qualquer bom senso. O que certamente vai acarretar problemas legais. Marco Aurério de Mello, o polêmico do STF, terá bons motivos para deitar e rolar... • LULA, QUE é agnóstico, deve estar todos os dias dizendo "papai do Céu, muito obrigado". As preces mais alucinadas do PT foram atendidas com o comportamento do governo nesse racionamento sem data para terminar. Vai acabar quando a situação se aliviar. E isso será quando? Uma vez montada uma fonte confortabilíssima de renda como essa em que o governo nada dá em troca, vocês acham que ele vai parar de beber nela?... • TOMARA QUE DEUS ilumine o governo para encontrar soluções menos penosas para o povo... • A VOLTA DE Wilma Guimarães Rosa, depois de 15 anos londrinos, é saudada com almoços. Dia 3, *chez* Vera Vallin. Dia 5, no Excelsior Ma. José Keily e Rosy Archer organizam...

Nota de Hildegard Angel, *O Globo*, 23 de maio de 2001

Relatório de Miro isenta viúva de Jango...

O AUTOR da denúncia de assassinato contra Maria Thereza, Enrique Foch Diaz, que se apresenta como grande amigo de João Goulart, é visto pelo deputado Miro Teixeira como um agente duplo. O que estará revelado no relatório final da comissão que investiga a morte de Jango...

MIRO, RELATOR da comissão e detentor de todos os documentos, afirma categoricamente que tentar envolver o nome de Maria Thereza Goulart no episódio é uma manobra para desviar o foco. Por outros caminhos investigatórios, como os depoimentos de Arraes, Neiva Moreira e outros amigos de Jango, amigos de verdade, a comissão encontra pegadas... pegadas de pássaro... de condor. Da Operação Condor!

[...]

Nota de Hildegard Angel, *O Globo*, 27 de maio de 2001

O desabafo de Denise, a filha de Jango

[...] SEGUNDO ELA, já foi pedida perícia psiquiátrica do depoente Foch Diaz por suspeita de insanidade mental no Uruguai. Ele também sofre processo por difamação e calúnia, por Cláudio Braga, que apontou como outro possível assassino de Jango e, caso seja considerado capaz, receberá as penas previstas para caluniadores.

Carta de Jango para Cláudio Braga do dia 13/9/76. Nela o ex-presidente afirma que "soube que no Brasil as coisas se esquentaram com a notícia do meu possível regresso".

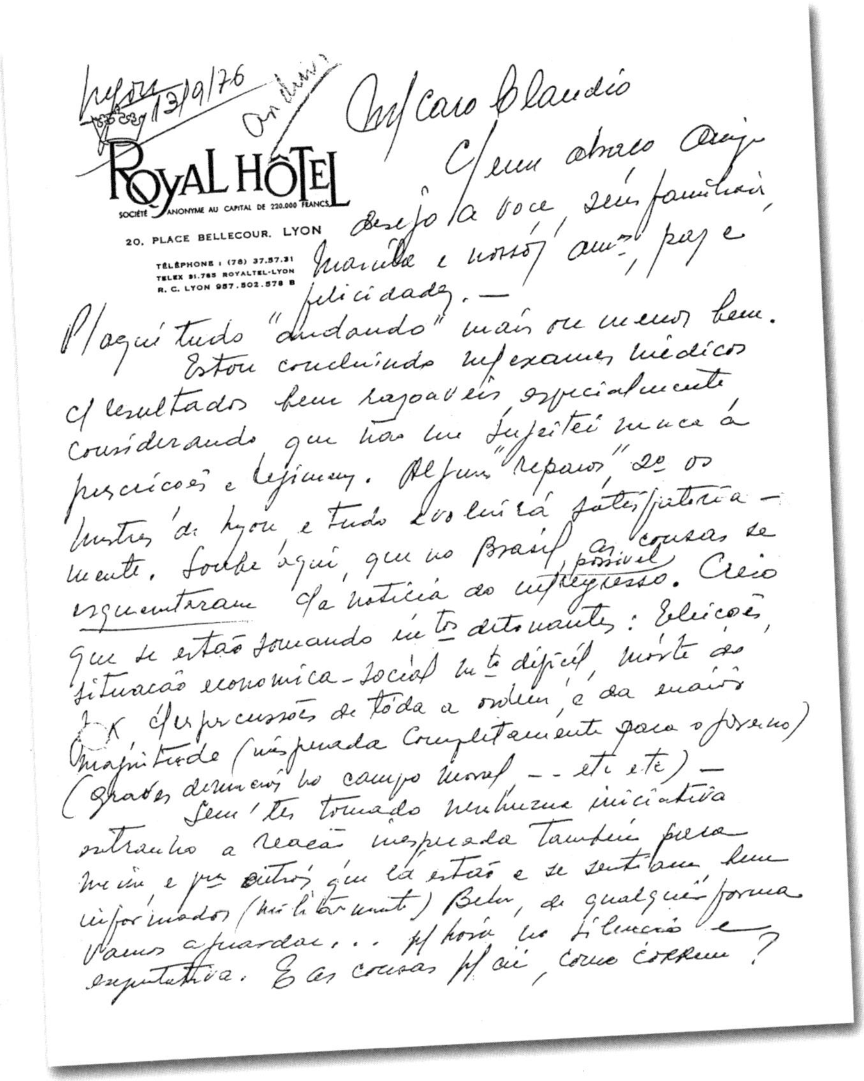
Lyon 13/9/76

ROYAL HÔTEL
SOCIÉTÉ ANONYME AU CAPITAL DE 220.000 FRANCS
20, PLACE BELLECOUR. LYON
TÉLÉPHONE : (78) 37.57.31
TELEX 31.785 ROYALTEL-LYON
R. C. LYON 957.502.578 B

Meu caro Claudio
C/ um abraço amigo
desejo a você, seus familiares,
Marilda e nossos amigos, paz e
felicidade.—
P/ aqui tudo "andando" mais ou menos bem.
Estou concluindo meus exames médicos
c/ resultados bem razoáveis, especialmente
considerando que não me sujeitei nunca à
exercícios e regimes. Alguns "reparos", 2 os
[illegible] de Lyon e tudo evoluirá satisfatoriamente.
Soube aqui, que no Brasil as coisas se
esquentaram c/a notícia do meu possível regresso. Creio
que se estão somando muitos determinantes: Eleições,
situação econômica-social muito difícil, morte do
JK c/repercussões de toda a ordem, e da maior
magnitude (inesperada completamente para o governo)
(grandes [illegible] no campo moral -- etc etc) —
Sem ter tomado nenhuma iniciativa
estranho a reação inesperada também pelo
meio e por outros que lá estão e se sentiam bem
informados (militarmente) Bem, de qualquer forma
vamos aguardar... p/ hora o silêncio e
expectativa. E as coisas p/ aí, como correm?

ÍNTEGRA DA CARTA QUE JANGO ENVIOU PARA CLÁUDIO BRAGA, CUJO FAC-SÍMILE ESTÁ NA PÁGINA ANTERIOR.

Lyon, 13/9/76

M/ caro Claudio:

C/ um abraço amigo desejo a você e seus familiares, Marcela e nossos amigos, paz e felicidade.

P/ aqui tudo "andando" mais ou menos bem. Estou concluindo m/ exames médicos c/ resultados bem razoáveis especialmente considerando que não me sujeitei nunca às prescrições e regimes. Alguns "reparos", 2º os Mestres de Lyon, e tudo evoluirá satisfatoriamente. Soube aqui, que no Brasil as coisas se esquentaram c/ a notícia do m/ possível regresso. Creio que se estão somando muitos detonantes: eleições, situação econômico-social muito difícil, morte de JK c/ repercussões de toda a ordem, e da maior magnitude (inesperada completamente para o governo) (Graves denúncias no campo moral... etc. etc...)

Sem ter tomado nenhuma iniciativa estranho a reação inesperada também para mim e para outros que lá estão e se sentiam bem informados (militarmente). Bem, de qualquer forma vamos aguardar... p/ hora no silêncio e expectativa.

E as coisas p/ aí, como correm? Caso Mario não tenha dado nenhuma solução, o que seria bastante surpreendente convém veres c/ Bijuja a possibilidade de conseguir algo ao menos pra desapertar até, eu aí, vender laes e novilhos. A solução é tentar algum empréstimo a curto prazo... mas não parar! Eu participo do t/ pensamento de que se trat de um bom negócio.

E Marcos Paz? E de Mercedes que notícias? Ainda inverno ou o tempo e pastagens já estão melhorando? Como fostes de Brasil? Tudo bem? E o nosso Orpheu? E por Montevideo tudo em ordem? Vicente e Denize ótimos. Aguardo o neto, pra 1ª quinzena de Outubro. M/ dúvida até o momento: ir e voltar ou aguardar. Em breve tomarei uma decisão te avisando.

Até breve e outro abraço.

Jango
Lyon, 13/9/76

E a nossa Argentina, como está?

Radiograma com data de 10/9/76 enviado pelo general Reynaldo para o ministro do Exército, Sylvio Frota. Documento revela que: "sendo constantes os informes de que João Goulart tentará regressar ao Brasil por estes dias, determino que V. Excia seguintes providências: João Goulart deverá ser imediatamente preso e conduzido ao quartel da PM, onde ficará em rigorosa incomunicabilidade e à disposição da Polícia Federal".

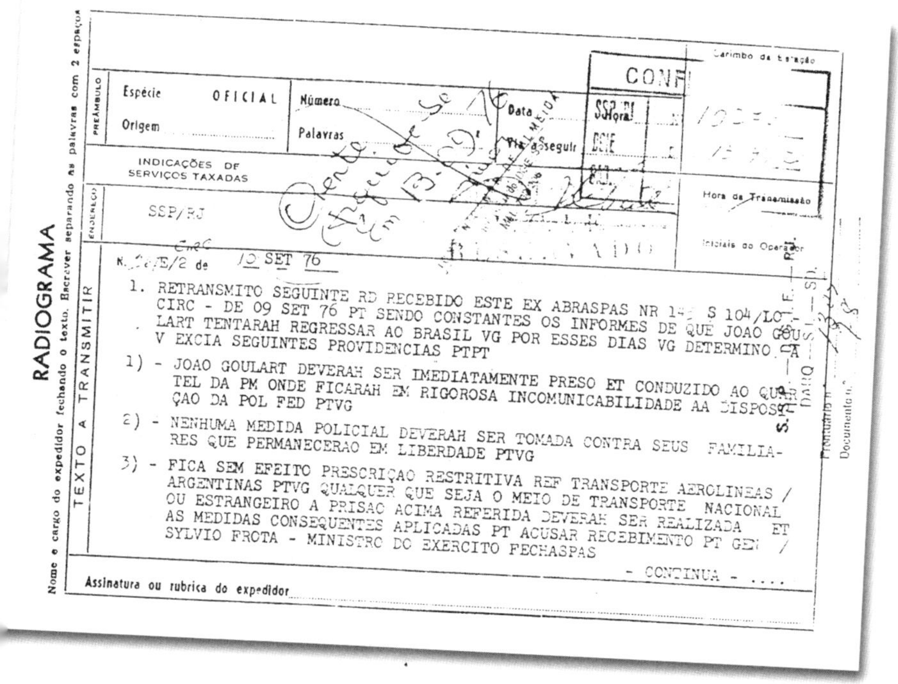

RADIOGRAMA

Espécie OFICIAL

Origem

Número

Palavras

Data

Hora

Via a seguir

INDICAÇÕES DE SERVIÇOS TAXADAS

SSP/RJ

CONF

Hora da Transmissão

Iniciais do Operador

Carimbo da Estação

N. [illegible]/E/2 de 10 SET 76

1. RETRANSMITO SEGUINTE RD RECEBIDO ESTE EX ABRASPAS NR 1[illegible] S 104/LC-CIRC - DE 09 SET 76 PT SENDO CONSTANTES OS INFORMES DE QUE JOAO GOULART TENTARAH REGRESSAR AO BRASIL VG POR ESSES DIAS VG DETERMINO A V EXCIA SEGUINTES PROVIDENCIAS PTPT

1) - JOAO GOULART DEVERAH SER IMEDIATAMENTE PRESO ET CONDUZIDO AO QUARTEL DA PM ONDE FICARAH EM RIGOROSA INCOMUNICABILIDADE AA DISPOSIÇAO DA POL FED PTVG

2) - NENHUMA MEDIDA POLICIAL DEVERAH SER TOMADA CONTRA SEUS FAMILIARES QUE PERMANECERAO EM LIBERDADE PTVG

3) - FICA SEM EFEITO PRESCRIÇAO RESTRITIVA REF TRANSPORTE AEROLINEAS ARGENTINAS PTVG QUALQUER QUE SEJA O MEIO DE TRANSPORTE NACIONAL OU ESTRANGEIRO A PRISAO ACIMA REFERIDA DEVERAH SER REALIZADA ET AS MEDIDAS CONSEQUENTES APLICADAS PT ACUSAR RECEBIMENTO PT GEN SYLVIO FROTA - MINISTRO DO EXERCITO FECHASPAS

- CONTINUA - ....

Assinatura ou rubrica do expedidor

Nome e cargo do expedidor fechando o texto. Escrever separando as palavras com 2 espaços

Por que escrevi este livro

CARLOS HEITOR CONY – Ao encerrar este trabalho, mistura de reportagem, depoimento e ficção, sinto-me obrigado a fazer uma coisa que sempre evitei, sobretudo no campo literário: dar uma explicação. Por que, afinal, decidi escrever e publicar um livro como este, sobre um assunto que pode ser importante mas para o qual não trouxe soluções, limitando-me a repetir matérias que publiquei na imprensa a partir de 1976, quando da morte de Juscelino Kubitschek?

Devo dizer que desde então a idéia de pesquisar e escrever sobre as duas mortes que se seguiram, a de João Goulart e a de Carlos Lacerda, sempre me foi recorrente. Mas tinha outras prioridades, outros projetos e, sobretudo, se tinha vontade, não tinha tempo.

Além do mais, para realizar esta vontade que me ficou incubada durante anos, não foi apenas o tempo que me faltou, mas a competência. Eu teria de me entregar a um tipo de trabalho a que nunca me dediquei seriamente. Nunca fui um repórter no sentido técnico da função. Com quase 50 anos de jornalismo, exerci muitas funções na imprensa, mas sempre evitava a reportagem. Fui redator, copidesque, editorialista, editor, diretor de redação, articulista, colunista e cronista, mas atuei pouquíssimo na reportagem. Minha experiência no setor limitou-se a eventuais coberturas internacionais, a deposição de um presidente argentino, em 1961 a Conferência da OEA em Punta del Este, que expulsou Cuba do sistema americano, os casamentos da rainha Sílvia, da Suécia, e o do príncipe Charles, na Inglaterra, a crise na Polônia com a greve do Solidariedade, duas viagens do papa ao Brasil e o atentado que ele sofreu na Praça São Pedro, a Revolução dos Cravos em Portugal, o início do processo democrático na Espanha, após a morte do ditador Franco, o armistício assinado entre Israel e o Egito, no Cairo, e outras poucas.

Acontece que, em 1995, com meu retorno à literatura e à minha carreira de escritor profissional, após 23 anos sem escrever ficção, conheci a repórter Anna Lee, e com ela ressuscitei uma série de livros infanto-juvenis que havia escrito há tempos para a Ediouro, livros que assinamos juntos para a editora Moderna/Salamandra e que tiveram boa aceitação no mercado específico. A experiência foi boa, e Anna Lee, conhecendo as matérias esparsas que publiquei sobre a morte dos três líderes que formaram a Frente Ampla durante o regime militar, interessou-se pelo assunto, sugeriu que se voltasse ao tema, propondo-se a tarefa das reportagens necessárias ao trabalho e que eu, por diversos motivos, não desejava fazer.

A princípio, relutei em aceitar a proposta da colega, achando que o tema estaria defasado. Apesar das provas existentes, que dão como natural a morte dos três líderes, sempre duvidei das conclusões oficiais, e não apenas neste assunto, mas também na história em geral, que é uma sucessão de casos obscuros ou mal resolvidos.

Contudo, a partir do ano 2000, surgiu uma série de reportagens no *Jornal do Brasil* sobre a Operação Condor, que levantava diversos casos de assassinatos políticos, queima de arquivos, limpezas de terreno e outras operações que os próprios executores classificam de "sujas".

As matérias do *JB* não sofreram contestação de qualquer espécie, mas se limitaram a revelações horizontais da repressão política na América Latina, notadamente no Cone Sul, envolvendo o baixo clero da operação, oficiais de menor patente, policiais de segundo escalão, a extensa rede de espiões, alcagüetes e demais elementos dos serviços de inteligência que seriam eliminados uns pelos outros, no propósito de não deixar rastros dos muitos crimes de uma guerra realmente suja.

Faltou à série sobre a Operação Condor a verticalidade, o movimento para cima, que transcendeu à raia miúda que executava materialmente os atentados. De qualquer forma, ela provava o clima de terror (e sujeira) que dominou o cenário do Cone Sul naqueles anos em que as ditaduras locais sentiram-se ameaçadas pela onda liberal que nasceria com a vitória do Partido Democrata nos Estados Unidos, em especial com a eleição de Jimmy Carter para a presidência da República.

Antecipando-se à inevitável abertura política do continente, não apenas pela atuação de Carter mas sobretudo pelo desgaste popular dos regimes militares, foi feita, antes mesmo da Operação Condor, a limpeza de terreno que eliminaria do cenário político as principais lideranças que tinham sido marginalizadas pelas ditaduras sul-americanas.

Como está dito na apresentação deste livro, a simples existência física de personagens emblemáticos de um regime antigo representa uma ameaça potencial ao novo. Citamos os casos do assassinato do Duque d'Enghien, sacrificado por Napoleão, que temia a simples existência de um elemento da família real deposta pela Revolução Francesa.

Lembramos também o massacre dos Romanov pelos bolchevistas, num momento em que a família do tsar Nicolau II não mais representava qualquer perigo à Revolução de 1917.

E não esqueçamos o caso mais espantoso desta limpeza de terreno, quando Luís XVI, já deposto como rei da França, foi guilhotinado não como um membro de sangue real mas como um simples cidadão, ao qual deram o nome de Luís Capeto.

O argumento principal para negar o caráter suspeito da morte de JK, Jango e Lacerda é a repetição do mesmo raciocínio que angustia os novos donos do poder, temendo uma restauração, ou aquilo que chamam de uma "volta ao passado". Nem importa que os alvos a serem atingidos não representem mais perigo ao novo regime. A bastante existência deles é um fantasma que incomoda a nova ordem.

Por tudo isso, mas sobretudo pela disponibilidade da repórter Anna Lee, que se encarregaria das missões mais difíceis, animou-me encarar a sua proposta, prontamente aceita pela editora Objetiva, que se prontificou a patrocinar o nosso trabalho, fornecendo-nos a estrutura necessária para as viagens e demais custos do projeto.

Levamos mais de um ano testando informações, ouvindo depoimentos, examinando hábeas-data e prontuários. Ouvimos dezenas de pessoas que direta ou indiretamente estiveram envolvidas nos três casos. Como espinha dorsal do livro, usamos as primeiras matérias que publiquei sobre o assunto, a partir de 1976.

Para formalizar o projeto, escolhemos um gênero de narrativa que de tempos para cá tem tido acolhida no setor editorial. É uma interação entre a reportagem e o romance, um produto anfíbio que continua tendo cultores em diversos países, e não chega a ser novidade absoluta, pois foi empregado de forma até genial por Tolstoi (*Guerra e Paz*), por Zola (*O Debacle*), por Alexandre Dumas (*O Colar da Rainha*), por Truman Capote (*A Sangue Frio*) e por outros numerosos escritores de diferentes épocas e calibres.

Mesmo assim, não como desculpa mas como informação, reconhecemos que este *O Beijo da Morte* não é conclusivo. Antes de escrevê-lo, Anna Lee e eu tínhamos a consciência de que não poderíamos chegar a uma certeza sobre a morte dos três personagens. O caso de JK está encerrado, o de Jango está aberto mas longe de uma conclusão. O de Lacerda nem sequer foi aberto. As duas Comissões Externas da Câmara dos Deputados, que investigaram as circunstâncias da morte de JK e Jango, também não chegaram a uma conclusão, embora reconhecendo que a soma dos depoimentos e pesquisas efetuadas representa um somatório de dúvidas que poderão ser esclarecidas futuramente, com o surgimento de fatos novos.

A única certeza que Anna Lee e eu possuímos é de que a palavra final sobre o mistério das três mortes talvez nunca seja possível. Desde 1976, quando ocorreu o desastre na Rio–São Paulo que matou JK, formei uma opinião pessoal sobre o caso: os indícios são mais fortes do que as provas.

É um paradoxo, reconheço. Mas ao longo deste trabalho, Anna Lee e eu verificamos que muitos pesquisadores do mesmo assunto tiveram opinião idêntica ou análoga. E um dos depoentes na Comissão da Câmara dos Deputados que investigou a morte de João Goulart, o ex-governador Miguel Arraes, expressou-se mais ou menos da mesma maneira, mas com formulação melhor e radical: "Para mim, Juscelino Kubitschek, João Goulart e Carlos Lacerda foram assassinados. Os fatos são outra coisa."

*

ANNA LEE – Quando o Cony sugeriu que finalizássemos *O Beijo da Morte* com um texto, de cada um, sobre o porquê de termos escrito o livro, concordei rapidamente. É fácil concordar com algo que está no futuro. Não exige soluções imediatas. E, além disso, há a chance de o futuro não existir.

Cheguei mesmo a achar que o futuro não existiria. Neste caso, a conclusão de *O Beijo da Morte*. O dia em que decidimos juntar todo o material de pesquisa: fitas cassetes – mais de 50 –, livros, recortes de jornais, fotos, depoimentos, hábeas-data e outros papéis mais, fora os arquivos em computador, achei que seria impossível dar ordem àquilo tudo. Mas não foi. *O Beijo da Morte* está pronto. Falta apenas a explicação de por que escrevi o livro.

Seria fácil responder que, como não tinha nascido quando houve a Revolução de 64 e era ainda muito menina na época em que JK, Jango e Lacerda morreram, tinha curiosidade sobre o assunto; que meu "instinto" de repórter foi irremediavelmente excitado, quando encontrei entre os guardados do Cony o artigo "Nunca se sabe", publicado na *Fatos & Fotos* de

02/09/1982, no qual ele estranhava a coincidência de em apenas nove meses terem morrido os líderes mais populares do Brasil, aqueles que haviam tentado a Frente Ampla em 1967; que não encontrei qualquer livro – apenas muitas especulações – juntando os fatos que levam facilmente a concluir que os três morreram em conseqüência de um plano para eliminar líderes políticos do Cone Sul que significavam ameaça à abertura ao modo dos militares; que a tarefa de provocar o Cony a voltar a um tema, há muito abandonado, por falta de tempo ou por falta de vontade, ou os dois juntos, seria razão mais do que suficiente para *O Beijo da Morte* existir; que, apesar de jamais termos tido a pretensão de chegar a uma conclusão definitiva sobre as mortes de JK, Jango e Lacerda – mesmo porque a apuração desses eventos está em estágios diferentes: o de JK está concluído, o de Jango está em processo e o de Lacerda sequer foi aberto –, acreditamos que poderíamos colocar em pauta um assunto que forma uma lacuna na história do Brasil.

Ainda poderia dar outras respostas mais. Todas elas, respostas prontas e esperadas. Até porque, de certa forma, não deixam de ser motivos pelos quais escrevi *O Beijo da Morte*.

Mas a resposta para "Por que escrevi *O Beijo da Morte*?" é única: uma frase que, um dia, escutei do Cony: "A imprensa cria monstros e vestais de acordo com sua conveniência".

Foi quando a revista *Caros Amigos* trouxe como chamada de capa a matéria "Por que a imprensa esconde o filho de 8 anos de FHC com a jornalista da Globo?". Era abril de 2000. Eu trabalhava na *Folha de S. Paulo*. Esse assunto já corria as redações há algum tempo, e, finalmente, um veículo falava abertamente sobre o assunto. A edição circulou de mão em mão, a matéria passou de computador para computador, entre os coleguinhas. Mas nenhum jornal, nenhuma revista, nenhuma tevê, nenhum outro veículo repercutiu. E, com certeza, não foi para não assumir o furo levado de uma revista alternativa. Ficaram todos combinados assim. E não era a primeira vez.

Desde 1994, como conta a matéria de *Caros Amigos*, intitulada "Um Fato Jornalístico", quando a *Veja* ensaiou uma reportagem sobre o caso Miriam Dutra/FHC, na época, candidato à presidência da República, a história vinha sendo abafada, sob o argumento de que não se tratava de um caso jornalístico, mas pessoal.

Em 2000, o argumento ainda era o mesmo: não se tratava de um fato jornalístico.

Posição igual a imprensa não teve quando a bola da vez era Lula, na campanha presidencial de 1990. Às vésperas das eleições, o comitê dirigente da campanha de Fernando Collor de Mello, adversário de Lula no segundo turno, apresentou em seu programa eleitoral na TV um depoimento de Míriam Cordeiro, ex-namorada de Lula e mãe de sua filha Lurian, no qual acusava o petista de ter-lhe oferecido dinheiro para que abortasse.

O fato deveria ter sido ignorado, já que não se tratava de um fato jornalístico. Dizia respeito à vida particular e não pública de Lula.

Mas não foi. Teve grande repercussão na imprensa, mesmo depois que a jornalista Maria Helena Amaral, que participava da elaboração do programa eleitoral de Collor na TV, desligou-se da campanha e revelou que o irmão mais velho do candidato, Leopoldo Collor, havia comprado o depoimento de Míriam por duzentos mil cruzados novos.

Pergunto-me ainda, sem qualquer intenção de querer defender Antônio Carlos Magalhães, e outros monstros do cenário nacional: se fosse ele e não Fernando Henrique um dos vestais do nosso tempo, teria sido protegido pela imprensa por conta do argumento de não se tratar de um fato jornalístico?

Tudo isso para responder à pergunta que interessa: Por que escrevi *O Beijo da Morte*?

Resposta: Na esperança de a morte de JK, Jango e Lacerda deixar de ser monstro para se transformar em vestal. Ainda que seja no futuro.

Este livro foi impresso na
LIS GRÁFICA E EDITORA LTDA.
Rua Felício Antonio Alves, 370 – Jd. Triunfo – Bonsucesso
CEP 07175-450 – Guarulhos – SP – Fone: (011) 6436-1000
Fax.: (011) 6436-1538 – E-Mail: lisgraf@uninet.com.br